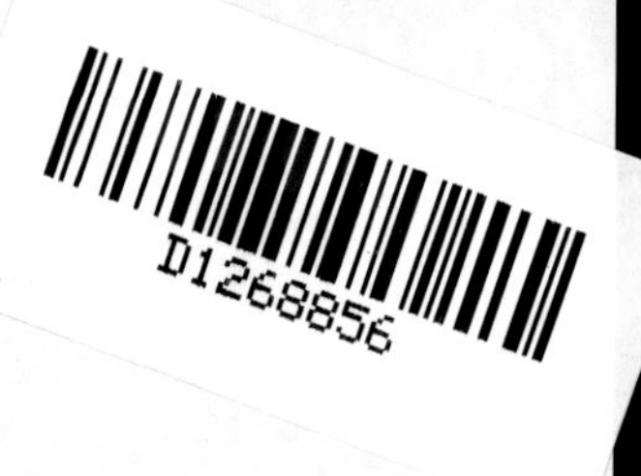

Anselm Grün

¿Por qué a mí?

Anselm Grün

¿Por qué a mí?

El misterio del dolor y la justicia de Dios

Ágape - Bonum - Guadalupe - Lumen - San Pablo

Grün, Anselm
¿Por qué a mí?: el misterio del dolor y la justicia de Dios - 1ª ed. 4ª reimp. - Buenos Aires: San Pablo, Guadalupe, Agape, Bonum, Lumen, 2009.
304 p. ; 20x14 cm

ISBN 978-950-861-849-8

1. Espiritualidad. I. Título
CDD 291.4

Título original:
Womit habe ich verdient? Die unverständliche Gerechtigkeit Gottes

Traducción: *Evelina Regina Blumenkranz*
Supervisión de traducción: *Katja Löhner*

1ª edición: *13.500 ejemplares, marzo 2006*
1ª reimpresión: *8.000 ejemplares, junio 2006*
2ª reimpresión: *10.000 ejemplares, marzo 2007*
3ª reimpresión: *7.200 ejemplares, febrero 2008*
4ª reimpresión: *8.000 ejemplares, septiembre 2009*

ISBN 978-950-861-849-8

Coeditan:

Agape Libros - Av. San Martín 6863, 1419 Buenos Aires
Tel.: (011) 4571-6001 / agape@agape-libros.com.ar

Bonum - Av. Corrientes 6687, 1427 Buenos Aires
Tel.: (011) 4554-1414 / ventas@editorialbonum.com.ar

Guadalupe - Mansilla 3865, 1425 Buenos Aires
Tel.: (011) 4826-8587 / ventas@editorialguadalupe.com.ar

Lumen - Viamonte 1674, 1055 Buenos Aires
Tel.: (011) 4373-1414 / ventas@lumen.com.ar

San Pablo - Riobamba 230, 1025 Buenos Aires
Tel.: (011) 5555-2400 / ventas@san-pablo.com.ar

Índice

Introducción

El tsunami del 26 de diciembre de 2004 encendió nuevamente la pregunta entre la opinión pública respecto a la causa del sufrimiento en el mundo. ¿Por qué el sufrimiento? ¿Cómo puede Dios permitir el dolor? ¿El sufrimiento sin sentido es una prueba en contra de la existencia de Dios? ¿Dios permite el dolor? ¿Acaso lo envía Él? ¿Cómo puedo aunar la imagen del Dios misericordioso con la del sufrimiento despiadado? ¿No es injusto Dios cuando deja que precisamente los pobres sufran? El salmo 34 dice: "Este pobre gritó y Dios lo escuchó, y lo salvó de todas sus angustias" (Salmo 34, 7). ¿Podemos continuar rezando actualmente este versículo del salmo si la muerte nos arrancó a nuestro propio hijo? ¿Estas palabras no son un sarcasmo cuando vemos a los pobres que padecen una desgracia tras otra?

Por ejemplo, una mujer sola, que de por sí lleva una vida difícil, que siente que en el trabajo le hacen la vida imposible y debe luchar a lo largo de su vida, ahora se entera a través del médico de que tiene cáncer. Entonces surge de ella: "¿Por qué precisamente yo? ¿Qué hice para merecerlo? Todos estos años me esforcé por vivir de acuerdo con la voluntad de Dios. Transité un camino espiritual. Me alimenté saludablemente. ¿Y ahora me ocurre esto? ¿Por qué? ¿Dios desea castigarme por algo? ¿Por qué Dios me hace algo así? Ya luché demasiado. Ir sola por la vida sin el apoyo de una familia no siempre fue fácil. ¿Y ahora encima esto? ¿Tiene que suceder todo al mismo tiempo? Es injusto. A los demás todo les sale bien. En cambio a mí, todo me sale mal. Es como si me hubiesen echado una maldición. ¿Dios se preocupa acaso por mi sufrimiento? En la oración le pedí a gritos, pero no sirvió de nada".

Tales preguntas son formuladas una y otra vez en las conversaciones y después de las disertaciones. La pregunta central es siempre: "¿Por qué Dios permite el sufrimiento? ¿Por qué no lo impide? ¿Por qué este dolor tiene que tocarme precisamente a mí? ¿Qué está tramando Dios, que se destruye todo sobre lo cual edifiqué mi vida? ¿Dios es tan cruel? ¿No tiene compasión conmigo? ¿Es injusto?"

No puedo responder nada a la pregunta de si Dios es injusto. Sólo puedo decir: "No lo sé. No puedo mirar las cartas de Dios. No puedo colocarme por encima de Dios y observarlo para ver qué piensa acerca de todo lo que sucede. Sólo puedo tratar de entender e interpretar con posterioridad lo que sucedió". Junto con la persona que sufre, trato de enfrentar su ira y su tristeza, su profundo dolor y su desesperación. También yo debo soportar la incomprensibilidad de su padecimiento. Recién cuando hemos estado en silencio durante suficiente tiempo podemos buscar cuidadosamente las palabras que transmitan a la persona que sufre nuestra compasión y nuestra impotencia, pero también nuestra disposición a estar con ella. Quizá surjan entonces en nosotros algunas palabras que alienten y animen al otro.

Si en este libro escribo muchas palabras dirigidas a todos aquellos que están oprimidos, doblegados, conmocionados, quebrados y confundidos por el sufrimiento, debo hacerlo con sumo cuidado. Por experiencia, sé que incluso las palabras mejor intencionadas pueden lastimar a aquel que está aturdido por su dolor. Todos los intentos de explicación e interpretación provocan a menudo únicamente la ira: “Puedes hablar muy bien. Pero cuando pierdas a tu hija en un accidente, ya no hablarás más así”.

En este libro, sin embargo, me arriesgo a hablar. Al hacerlo tengo presentes a muchas personas colmadas de dolor que he encontrado en los últimos años. Querido lector: si el sufrimiento y la tristeza aún son demasiado grandes en ti, puede suceder que algunas frases te irriten o lastimen. Pero confío en que, también en tu tristeza, habrá etapas en las que busques palabras que coloquen lo sucedido bajo una luz diferente, que te ayuden a comprender la pena que te ha alcanzado y a tratarla de otro modo.

A veces también puede ser útil apartarse de la experiencia subjetiva que nos ocupa en ese instante y mirar con mayor objetividad la cuestión del sufrimiento, considerar todas las ideas que los sabios de todos los tiempos han tenido acerca del sufrimiento. Las reflexiones de los demás no pueden deshacer el sufrimiento personal. No pueden aliviar el dolor. Pero quizá el enfoque o la experiencia de otra persona ayuden a mirar la situación con otros ojos. Por esta razón, en el presente libro he reunido algunas teorías que me parecen adecuadas para el tratamiento cristiano del sufrimiento. No pretendo que las ideas sean soluciones, sino sólo una ayuda para colocar la experiencia dolorosa propia ante un horizonte más amplio. Pensar crea una distancia frente a mi dolor. Y a veces precisamente esta distancia es útil para mitigar el dolor. Pero pensar no diluye el dolor. Pensar lleva a comprender. Y, frente a toda la incomprensibilidad del sufrimiento, existe una necesidad primitiva del hombre por entender su sufrimiento. Únicamente si comprendo mi vida podré ayudarme y soportar el dolor.

Querido lector: Este libro pretende ser para ti una ayuda existencial. Pero, ante todo, quisiera tomarte de la mano e introducirte en el mundo del pensamiento teológico y del conocimiento espiritual, tal como la tradición cristiana nos lo muestra. Quizá estas ideas te resultan extrañas, quizá tampoco sientas *ahora* la necesidad de confrontarte a estas ideas. Entonces puedes abocarte directamente a los ejemplos concretos en la tercera parte. Pero tengo confianza en que el pensamiento teológico y la búsqueda espiritual de muchas personas que se han esforzado honestamente te conduzcan hacia un mundo en el que te sientas comprendido, en el que puedas ser tú con tus preguntas, con tus gritos, con tu desesperación. Las personas que cito en este libro han experimentado por sí mismas mucho sufrimiento. Pero han tratado de interpretar sus experiencias y, a través de ello, dominarlas. Ellas querían, al menos, satisfacer así su razonamiento. Y si bien a veces ya no puedes pensar correctamente porque estás demasiado aturdido, te ayudará a ordenar tus pensamientos y a penetrar con tu razón lo incomprensible e inconcebible de este padecer.

Seguramente los intentos intelectuales de interpretación también permitan escapar del sufrimiento. Pero he realizado la experiencia de que es necesario tomar con seriedad el razonamiento. El hombre debe satisfacer su razonamiento crítico. De lo contrario, pasará por alto un aspecto esencial del ser humano. Por esta razón, te deseo, querido lector, que las páginas siguientes no sean para ti un juego mental poco realista, sino una ayuda para poder desenvolverte con tus propias experiencias. Quizá el sufrimiento haya destrozado tu fe. La reflexión teológica seguramente no te devolverá la fe, pero podrá apoyarte para que coloques tu fe sobre una nueva base y para aunar tu imagen de Dios con tu experiencia.

Respuestas teológicas frente al sufrimiento

Consideraciones filosóficas básicas

El filósofo alemán Leibniz denominó la cuestión de Dios y el dolor como el problema de la teodicea. Leibniz se cuestionó cómo podía unirse la fe en el Dios todopoderoso y benevolente con la experiencia del mal, de la oscuridad y el sufrimiento. De ese modo tomó la iniciativa de colocar a Dios frente al tribunal del razonamiento humano. Pero Leibniz no acusó a Dios, sino que lo defendió en vista del sufrimiento del mundo. Mientras que el poeta alemán Georg Büchner veía al sufrimiento como la mayor prueba contra la existencia de Dios, Leibniz quería demostrar mediante motivos de la razón porqué incluso el dolor nos remite a Dios.

En la actualidad, la mayoría de los teólogos son escépticos con respecto a si es posible responder o no al problema de la teodicea. Por esta razón, muchos renuncian de antemano a formularse la pregunta. Johann Baptist Metz opina, sin embargo, que renunciar al problema de la teodicea dejaría a los hombres solos con su dolor. Por ello habla a favor de una nueva sensibilidad con respecto a este antiguo problema. Él considera que ciertos movimientos espirituales hacen enmudecen el lamento del hombre, al acentuar tanto la unidad con Dios. El hombre ya no sabe a dónde dirigirse con su dolor y su lamento. No obstante, Metz también comprueba que las respuestas dadas por la tradición casi no pueden satisfacernos actualmente.

Mencionemos aquí la respuesta de san Agustín: "La belleza del orden mundial deslumbra principalmente en los opuestos, cuando el mal se encuentra en ella y debe servir al bien" (cf. Greshake, pág. 14 y sig.). El sufrimiento y el mal son para Agustín, el fondo oscuro sobre el cual la luz del amor divino destella con tanta mayor claridad. Agustín no se formula la pregunta sobre si Dios es débil frente al mal. Prefiere definir la omnipotencia de Dios de la siguiente manera: "El Dios omnipotente… nunca permitiría la existencia de algún mal en sus obras, ya que Él es bueno por encima de todo, si no fuera Él mismo tan poderoso y bueno cómo para provocar el bien a partir del mal". Con esta visión, Agustín reúne la omnipotencia de Dios y el dolor: Dios no evita el sufrimiento, pero puede transformarlo y mediante el sufrimiento provocar el bien.

Esta respuesta seguramente es valiosa. Pero si como acompañante espiritual me dirijo con ella a una persona que sufre, le resultará de poca ayuda en ese momento. Quizá, incluso, la perciba como cínica. Sin embargo, Agustín en ningún momento es insensible al padecimiento. Él sufrió mucho por la caída de Roma. Allí se derrumbó todo un mundo para él. Su respuesta es un intento de colocar el sinsentido de esta caída y el sinsentido de todas sus experiencias personales de sufrimiento bajo un horizonte mayor. Este horizonte mayor debía permitirle dominar el dolor sin quebrarse en el intento.

La otra respuesta clásica proviene de Leibniz. Su tentativa de explicación marcó toda la filosofía idealista alemana: "La sabiduría sin límites del Todopoderoso, junto con su inconmensurable bondad, han "provocado que, visto todo conjuntamente, no pueda surgir nada mejor que aquello creado por Dios... Por esta razón, siempre que en las obras de Dios aparezca algo reprochable, deberemos aceptar que no las conocemos lo suficiente y el sabio que es capaz de entenderlas, opinará que no podrían haber sido deseadas mejor" (cf. Greshake, pág. 15). Por este motivo, para la filosofía idealista no existe oposición entre Dios y el sufrimiento. Esto significa prácticamente que cuando nosotros, los seres humanos, vemos aquí una contradicción, es porque nuestro horizonte de pensamiento es muy estrecho. Necesitamos una estructura de sentido más amplia. Entonces reconoceremos que Dios y el sufrimiento confluyen en una armonía superior. Esta óptica optimista del filósofo alemán se derrumbó con el terremoto del año 1755, en el que fallecieron más de cien mil personas en Lisboa. También para nosotros, en la actualidad, resulta demasiado distante del dolor concreto que acaece a los hombres. Para el que es víctima de catástrofes naturales, el que padece una enfermedad, el que es golpeado por el destino, esta respuesta teórica casi no lo satisface.

Muchos teólogos consideran que el sufrimiento no puede comprenderse, que simplemente debería soportarse. Por esta razón, las repuestas teóricas no brindan ayuda. Es necesario tomar con seriedad esta objeción. Pero cuando un hombre se encuentra sumido en el sufrimiento, a pesar de ello anhela comprenderlo. Involuntariamente el sufriente comienza a preguntar: "¿Por qué sucedió? ¿Por qué justamente a mí? ¿Cuál es el sentido de todo esto?" La experiencia de dolor nos impulsa a querer entender con nuestra razón aquello que nos ocurre.

El teólogo friburgués Gisbert Greshake realizó un intento teológico propio para conciliar a Dios con el sufrimiento: él parte de una comprensión profunda de la omnipotencia. La omnipotencia de Dios no significa que Dios pueda crear algo ajeno al ser. La omnipotencia de Dios no creará un círculo triangular. Tampoco creará al hombre libre y evitará el sufrimiento. "Si Dios desea la libertad inherente a la criatura, con ello está incluida necesariamente también la posibilidad de sufrimiento" (Greshake, pág. 29). "La libertad del hombre tiene el sentido de que éste pueda amar a Dios. Ya que sin libertad no hay posibilidad de amor. El sufrimiento es la consecuencia de la decisión de libertad equivocada" (íb., pág. 31).

Dado que vivimos en un mundo de hombres pecadores, encontramos el sufrimiento como consecuencia del pecado anterior a nuestra propia decisión de libertad. Pero también existe el sufrimiento que no proviene de la libertad del hombre sino del mismo cosmos. El tsunami de 2004 no fue provocado por una conducta equivocada del hombre, sino que nació del interior de la tierra. Para el jesuita y científico Teilhard de Chardin, el sufrimiento es el producto correlativo inevitable de la evolución. Pero también esta respuesta satisface poco. A lo sumo podríamos decir: Las catástrofes naturales muestran que el mundo no es un mundo únicamente pacífico y armónico, sino uno en el que reina el caos, en el que encontramos lo imprevisible y a veces la furia destructiva. El mundo no es bello y bueno en el sentido armonizador en el cual deseamos imaginarnos el mundo. También tiene en sí algo cruel. De tal manera, incluso el devoto cristiano Reinhold Schneider, que durante la Segunda Guerra Mundial ofreció consuelo a muchos soldados en el campo de batalla a través de sus poemas, al final de su vida quedó impactado por la crueldad que reconocía en la naturaleza. Ella oscureció su imagen de Dios y le hizo casi imposible comprenderla.

Greshake continúa argumentando en su meditación sobre Dios y el sufrimiento: "El sufrimiento es ... el precio de la libertad, el precio del amor. Un Dios que en virtud de su omnipotencia y bondad evitara el sufrimiento, debería hacer imposible el amor (que requiere libertad). El amor sin dolor sería, por lo tanto, un imposible" (Greshake, pág. 46). Es un intento de satisfacer la razón que pregunta acerca del porqué del sufrimiento. Pero no es una respuesta con la cual podamos quedarnos conformes. Por el contrario, intenta responder a la penetrante razón. Pero la razón se tranquiliza sólo por un instante, luego reaparece y continúa indagando. E incluso cuando la razón es acallada, de pronto se hace notar la voluntad y se rebela contra esta respuesta. Basta pensar en Iván Karamasov en la novela de Dostoievski *Los hermanos Karamasov*: Él no quiere aceptar el mundo creado por Dios. Para él es demasiado elevado el precio que debe pagar como hombre por el sufrimiento que colma el mundo. "Mi bolsillo no me permite abonar un precio de entrada tan elevado. Por eso me apuro a devolver mi entrada. No se trata de que no reconozca el valor de Dios, Aljoscha, pero con el mayor de los respetos le devuelvo la entrada".

De estas reflexiones surge claramente que Dios no desea el sufrimiento. Tampoco lo envía. Pero Dios lo acepta porque le es importante la libertad del hombre, que es la condición del verdadero amor. Ésta es la respuesta de la teología. Greshake tiene razón con su intento por vincular la pregunta de Dios con el sufrimiento, ya que el sufrimiento atañe a nuestra imagen de Dios. No podemos practicar una teología libre de sufrimiento. No debemos ver a Dios demasiado bonito. Muchas personas que han sufrido ya no pueden oír las palabras vacías del "buen Dios" que siempre tiene las mejores intenciones para con nosotros. Esto les provoca resistencia, y les resulta demasiado barato. Ellas no asocian esta imagen tierna y agradable de Dios con su experiencia. Por esta razón, también la teología debe enfrentar al sufrimiento y preguntarse cuál es el significado de lo oscuro y penoso en este mundo, en relacion con nuestra imagen de Dios. La respuesta cristiana es la imagen de la Trinidad de Dios, que ingresa en el sufrimiento de su Hijo y nos envía el Espíritu Santo, que se encarga de nuestra debilidad y nos fortalece en el sufrimiento, y que reza en nosotros con gemidos inefables a causa de la aflicción por el dolor (cf. Rm 8, 26).

Karl Rahner comenta al respecto que si bien atribuir el sufrimiento a la libertad humana es una respuesta correcta, no es la última: "Tenemos prohibido darnos por satisfechos con esta respuesta" (Rahner, pág. 459). Como única respuesta a la pregunta por el sufrimiento, él ve: "la incomprensibilidad del sufrimiento es una parte de la incomprensibilidad de Dios" (íb., pág. 463). Y aceptar la incomprensibilidad del sufrimiento es para él "la forma concreta en la que aceptamos al mismo Dios y dejamos ser a Dios" (íb., pág. 465). Rahner cuenta de la visita de Walter Dirk al gravemente enfermo Romano Guardini. Éste le dijo a su amigo en el lecho de muerte que en el Juicio Final no sólo se dejaría indagar por Dios sino que él mismo formularía la pregunta para la cual ni la Biblia ni el dogmatismo eclesiástico le han dado una respuesta: "¿Por qué, Dios, tan terribles rodeos para llegar a la salvación, el sufrimiento de los inocentes, la culpa?" (íb., pág. 465). Rahner está convencido de que sólo en el encuentro con Dios en la muerte obtendremos la respuesta a la pregunta acerca del sufrimiento. Y la única respuesta será, para él "el Dios incomprensible en su libertad". Y cierra sus reflexiones sobre la pregunta acerca de por qué Dios permite nuestro sufrimiento, con las palabras: "No existe otra luz bienaventurada que ilumine los oscuros abismos del sufrimiento más que el mismo Dios. Y a Él sólo lo encontramos si benevolentemente decimos sí a la incomprensibilidad de Dios, sin la cual él no sería Dios" (íb., pág. 466).

Esta respuesta de Rahner es para mí la única respuesta teológica que me satisface. Siempre que hablamos de Dios con excesiva simpleza y facilidad, lastimamos a los hombres que se quiebran en el sufrimiento. En última instancia, Dios permanece tan incomprensible como el sufrimiento. Lo mismo se aplica cuando hablamos sobre el ser humano. Si creemos que sólo necesitamos pensar positivamente y entonces sabremos cómo manejarnos con el sufrimiento, no responderemos al hombre con su misterio abismal. He conocido a jóvenes que deseaban suicidarse porque se sentían fracasados en un mundo en el que todo florece, en el que sólo es necesario esforzarse o pensar positivamente para que la vide resulte exitosa. Sin embargo, se trata de soportar la incomprensibilidad del sufrimiento y aceptar en ello al Dios incomprensible y al misterio del hombre. Cuando me rindo al misterio inefable e inexplicable un Dios al que no comprendo, en algún momento surge en mí un Dios que es totalmente distinto. Y entonces dejo de preguntar por qué Dios permite el sufrimiento. Simplemente miro hacia el oscuro abismo de Dios para descubrir allí la luz de su amor que hace enmudecer mi cuestionamiento.

El sufrimiento en las religiones del mundo

Otras religiones brindan respuestas diferentes a la pregunta acerca del sufrimiento. Por ejemplo, el budismo enseña: la causa de todo sufrimiento es el contacto con el mundo. Debemos liberarnos del mundo, y estaremos libres del sufrimiento. Sólo aquel que está apegado a la vida experimentará sufrimientos a través de la enfermedad. Sólo el que se aferra a sus posesiones y a su salud, experimentará la pérdida como un sufrimiento. El sufrimiento ya no invade a aquel que ha eliminado el contacto con el mundo a través de la meditación y el ascetismo. En este sentido, el budismo distingue cinco tipos de sufrimiento: la edad, la enfermedad, la muerte, la separación, el fracaso. Todos tienen sus raíces en la avidez de vida. Por esta razón, el camino espiritual budista consiste en suprimir la avidez a través del desapasionamiento, y suprimir así el sufrimiento.

No obstante, en el budismo Mahayana existe otro concepto del sufrimiento: los muchos bodhisatvas que se han liberado del sufrimiento, padecen con los hombres que todavía están oprimidos por el sufrimiento y los ayudan mediante su compasión a hallar el camino para superar el sufrimiento. Esta última respuesta es similar a la de Jesús, que también padece con nosotros para que podamos soportar nuestro sufrimiento.

El hinduismo ve la causa de todo sufrimiento en la "particularidad del ser". Por esta razón, el hombre debe abandonar su separación de Dios y llegar a ser uno con Él y con todo lo que es. El Atman individual debe deshacerse en el Brahman divino. Así se elimina el sufrimiento. Los caminos del yoga sirven para reunir al hombre con el Brahman divino.

También la mística cristiana hace suya esta respuesta cuando desea guiar al hombre hacia la unidad en Dios. Sin embargo, la mística cristiana no elimina el sufrimiento sino que lo eleva en Dios. El sufrimiento se convierte en un camino hacia el amor de Dios. La mística cristiana no desea en modo alguno minimizar el sufrimiento, como si éste se suprimiera a través de la unidad con Dios. También entonces sigue doliendo, mientras me siento uno con Dios en mi sufrimiento. Y a pesar de la experiencia de unidad con todo lo existente, el sufrimiento puede conducirme hacia mis límites y hacia el temor de sucumbir.

Los judíos lucharon siempre a lo largo de su historia con la pregunta del sufrimiento. Para los devotos rezadores de salmos significaba una gran afrenta que a los impíos les fuera tan bien y a los religiosos tan mal. El orante del salmo 73 admite que estuvo a punto de dar un traspié en su fe cuando vio que a los impíos les iba tan bien: "No comparten el infortunio humano ni sufren como los demás" (Salmo 73, 5). Pero luego reconoce que ellos se encuentran sobre un terreno resbaladizo: "¡Oh, cuán de repente son asolados, se acaban y perecen de terror!" (Salmo 73, 19). Y finalmente reconoce: "Aún así yo siempre estoy contigo, me sostienes de la mano derecha" (Salmo 73, 23). Dios permanece junto a él también cuando padece, incluso cuando muere. Esto es suficiente para el piadoso.

El Libro de Job trata exhaustivamente, la cuestión del sufrimiento. Para los amigos de Job, el sufrimiento siempre remite a una culpa en el hombre. Pero Job se resiste a ello. Él se esforzó de buena fe en vivir de modo correcto y honrado frente a Dios. Job expresa su dolor a gritos frente a Dios. Él se lamenta y llora. Le realiza amargos reproches a Dios. Pero al final se rinde ante la incomprensibilidad de Dios. Dios se le aparece en la grandeza de la creación. Y aquí sólo puede inclinarse frente al Dios infinitamente grande.

La historia del judaísmo siempre estuvo marcada por la pregunta acerca del sufrimiento. El pueblo padeció mucho sufrimiento. Pero nunca dejó de aferrarse a Dios y de alabarlo. Un devoto reza: "Me aferro a ti, mi Dios, incluso cuando me destruyes". Los judíos ven a Dios como la causa del sufrimiento. De él proviene todo, lo bueno y lo malo. Y deberíamos tomar ambas cosas de la mano de Dios: "Dios nos arrebató, y nos curará; Él nos hirió, y nos vendará" (Os. 6, 1).

En cambio el islamismo ni siquiera formula la pregunta acerca de Dios. Para éste, todo es destino. Responde a todo el sufrimiento que pueda ocurrirle al hombre con la frase estereotipada: "Alá lo quiso así". Esto significa que si Alá lo quiere así, el hombre simplemente debe someterse. Ni siquiera puede formular la pregunta del por qué. Sólo le queda someterse a su destino y aceptar la inexplicable voluntad de Dios. Sólo Dios sabe para qué todo es bueno. El hombre debe confiar en la voluntad de Dios. Las experiencias penosas son consideradas por el islamismo como una prueba, y a veces también como un castigo justo que nos toca para que mejoremos. En el sufismo, el padecimiento adquiere un nuevo significado. Allí existe una mística propia del sufrimiento que, sin embargo, ha sido influenciada evidentemente por el monacato cristiano. El amor a Dios encuentra su coronación en la disposición al sufrimiento. Un místico persa considera que el sufrimiento es el mismo Dios. “Tales pensamientos han llevado a los místicos a asumir dócilmente todas las tribulaciones, que incluso eran vistas como signos de especial bondad de Dios” (Schimmel, 1992, pág. 198 y sig., LThk *[Diccionario de Teología e Iglesia]* 782).

Nosotros, los cristianos, nos formulamos la pregunta del porqué. Con nuestra pregunta penetrante acerca del porqué nos sabemos en buena compañía. Pues Jesús mismo la gritó en la cruz: “Dios mío, Dios mío, ¿por qué me abandonaste?” (Salmo 22). Podemos formular la pregunta acerca del porqué. Pero no debemos esperar una respuesta teórica. Tampoco Jesús recibió respuesta a su pregunta. Pero en la cruz continuó rezando el Salmo 22. Después de su súplica referida al abandono, recuperó la confianza: “Porque no ha despreciado ni ha desdeñado al pobre en su miseria, no le ha vuelto la cara y a sus invocaciones le hizo caso” (Salmo 22, 25). En la resurrección Dios lo escuchó. Entonces no le dio vuelta la cara sino que lo levantó. La resurrección de Jesús es, finalmente, la respuesta existencial de Dios a la pregunta del porqué en la cruz. Podemos meditar una y otra vez sobre la cruz y la resurrección de Jesús para elevar nuestra pregunta del porqué hacia otro plano.

La respuesta de Jesús frente al sufrimiento

Una y otra vez encuentro gente que no sabe qué hacer con Jesús. Y vuelvo a escuchar el reproche: Siempre nos representan a Jesús como el sufriente. Querido lector, si tú mismo te enfrentas al sufrimiento, quizá veas al Jesús sufriente con otros ojos. Quizá descubras en Él su gran solidaridad contigo mismo en tu sufrimiento. Quizá busques en Él una respuesta a tu experiencia de sufrimiento. Pero Jesús no reflexionó teóricamente sobre el problema del sufrimiento ni desarrolló ninguna doctrina sobre el sufrimiento con el cual consolarte y regresar a tu hogar. Casi no encontrarás palabras en Él que te brinden respuesta a tus preguntas. Sólo en su vida podrás descubrir una respuesta a la pregunta acerca del sufrimiento. La Biblia nos da una serie de ejemplos en los que la relación de Jesús con el dolor se torna demostrativa:

La primera respuesta al sufrimiento la da Jesús, por ejemplo, al dedicarse especialmente a los pobres y sufrientes. Él se sabe enviado por Dios en primer lugar a los pobres, para cambiar su sufrimiento. En la sinagoga de Nazaret refiere a sí mismo las palabras del profeta Isaías: "El espíritu del Señor está sobre mí. Él me ha ungido para llevar buenas nuevas a los pobres, para anunciar la libertad a los cautivos y a los ciegos que pronto van a ver, para despedir libres a los oprimidos y para proclamar el año de gracia del Señor" (Lc 4, 18 y sig.). Lucas menciona aquí tres formas de sufrimiento: el cautiverio, la ceguera y la opresión. Son tres experiencias esenciales de sufrimiento que actualmente continuamos encontrando: es el cautiverio debido a las presiones internas. Las obsesiones y las adicciones representan en la actualidad un sufrimiento para muchas personas, que a menudo las destrozan y de las cuales no pueden salir por propia voluntad. La ceguera corresponde al sufrimiento por la falta de sentido, que sobre todo Viktor E. Frankl, el creador de la logoterapia, ha diagnosticado como el auténtico sufrimiento de nuestro tiempo.

Abatidos y oprimidos se sienten todos aquellos que fueron alcanzados por un golpe del destino, por la muerte de seres queridos, por un accidente, por una catástrofe natural o por una enfermedad incurable. Jesús se siente especialmente enviado a los sufrientes para predicar el Evangelio y proclamarles un año de gracia. Pero ¿qué les dice Jesús a los sufrientes? Ante todo les promete la cercanía de Dios. No han sido abandonados por Dios. Él mismo llega a los hombres a través de Jesús para sanarlos y consolarlos. Jesús se muestra precisamente en el Evangelio según san Lucas como el médico que se dedica a los enfermos y sufrientes y sana sus heridas, que levanta a los doblegados y devuelve la visión a los ciegos. El año de gracia que proclama Jesús se hace realidad a través de su dedicación a los enfermos y sufrientes. Allí puede experimentarse la gracia de Dios, su amor tierno para con los pobres. Este año de gracia del cual habla Lucas debe hacerse realidad en cada año eclesiástico, de manera que "hoy" suceda en nosotros lo que en aquel momento Jesús hizo por los pobres.

El Evangelio según san Lucas muestra asimismo que a Jesús le agrada sanar en el día sábado. De este modo expresa de manera especial que Él desea restablecer al hombre tal como Dios lo ha creado al comienzo, en su original dignidad y belleza: La mujer encorvada se enderezó nuevamente el sábado para alabar a Dios (Lc 13, 10-17). En sus sanaciones milagrosas Jesús hace que ya ahora se haga presente el reino de Dios para los hombres. Y al expulsar los demonios "a través del dedo de Dios", "el reino de Dios ha llegado a ustedes" (Lc 11, 20). Al liberar a los hombres de los espíritus sombríos que los tienen atrapados y enturbian su pensamiento, permite que ellos experimenten el reino de Dios. Entonces dejan de reinar en el hombre los espíritus sombríos, y reina Dios mismo. Y cuando Dios reina en el hombre, cuando queda libre del sufrimiento de la enfermedad o de la obsesión, se levanta y se alegra de su brillo original.

Jesús dio la respuesta por cierto más enfática al sufrimiento del hombre, al tomar sobre sí mismo el sufrimiento. En cierto modo ingresó Él mismo en el sufrimiento humano. Algunos preguntan qué pensó Jesús cuando se sometió al sufrimiento. Esta gente considera que Dios sacrificó a su hijo para borrar nuestros pecados. ¿Pero cómo lo saben? En última instancia, nosotros no podemos saber por qué el camino de Jesús fue a través del sufrimiento y la cruz. No podemos mirar las cartas de Jesús y reconocer las razones que lo impulsaron a no esquivar el sufrimiento sino a soportarlo. Tampoco sabemos qué pensó Dios para permitirlo. No conocemos los pensamientos de Dios. Pablo exclama en la Epístola a los Romanos: "¿Cómo indagar sus decisiones o conocer sus caminos? ¿Quién entró jamás en los pensamientos del Señor? ¿A quién llamó para que fuera su consejero?" (Rm 11, 33 y sig.).

Teología no significa, básicamente, colocarse por encima de Dios e indagar sus pensamientos. A veces tenemos la sensación de que algunos teólogos introducen a Dios en su propio sistema de pensamiento. Aparentemente saben qué piensa Dios mejor que lo que Él mismo nos lo hiciera saber en su Revelación. Sólo con posterioridad podemos interpretar y comprender lo sucedido.

Los escritores bíblicos han tratado de comprender e interpretar el camino de Jesús a través del sufrimiento en la cruz hasta la resurrección. Cada evangelista interpretó la pasión a su manera, de tal forma que podemos descubrirnos a nosotros mismos en su interpretación. Los evangelistas describieron la pasión siempre de acuerdo con el trasfondo de sus propias experiencias de sufrimiento y, con ello, respondieron a las preguntas de los cristianos que por aquella época se expusieron a muchas miserias por parte del estado romano y sus autoridades. Los relatos de la pasión de los Evangelios también pueden ayudarnos en la actualidad a dominar el sufrimiento que una y otra vez nos acomete. Querido lector, deseo invitarte a observar con nuevos ojos el relato del sufrimiento de Jesús a la luz de tu propia experiencia. Quizá encuentres allí un camino para poder soportar tu propio sufrimiento en comunión con Jesús.

Jesús ha sufrido. Esto lo anuncian los cuatro Evangelios. Él fue traicionado por uno de sus discípulos y abandonado por los otros. Así, solo, es interrogado por el tribunal judío y luego entregado a los romanos. Los soldados romanos se burlan de Él y lo azotan. Lo castigan brutalmente y por último lo crucifican de modo cruel. Con un grito en sus labios, muere solitario en la cruz. Jesús padeció en un mundo injusto lo que actualmente muchos perseguidos políticos padecen de manera similar. Pero Él no nos enseñó por qué debemos soportar el sufrimiento. Tampoco nos dijo por qué no eludió el sufrimiento. Sólo podemos intentar comprender lo que sucedió. Y sólo podemos intentar comprender las interpretaciones de los cuatro evangelistas y hacerlas útiles con relación a nuestra propia vida.

Marcos, el primero en escribir su Evangelio, le otorgó un espacio desproporcionadamente extenso al relato de la Pasión. El evangelista ve a Jesús en la primera parte como el salvador exitoso y exorcista, cuando Jesús expulsa con su poder a los demonios. En la segunda parte, sin embargo, Jesús se entrega con debilidad a la fuerza de la oscuridad. Se arriesga a la fuerza del mal, a ponerse a merced de hombres crueles. La primera parte describe a Jesús en su poderío, en su éxito y en la gran convocatoria que provoca. En la segunda parte percibimos a Jesús en su desamparo. Ya no realiza milagros. Pero precisamente aquí radica la paradoja: con su debilidad y su amor que renuncia a toda fuerza externa, vence al poder de los demonios. Precisamente allí donde los demonios se manifiestan con vehemencia y crueldad, les es quitado su poder y son vencidos. En el Imperio romano, en la época en que Marcos escribió su Evangelio los hombres tenían la sensación de vivir en un mundo frágil, dominado por los demonios y amenazado en todo momento con la destrucción. Jesús se sumergió en este mundo frágil, marcado por intrigas políticas, por la envidia y el rencor, por la violencia y la brutalidad, para salvarlos.

El sufrimiento tiene, por lo tanto, el efecto de dejarnos padecer la oscuridad de este mundo y, al mismo tiempo, transformarla en amor. El sufrimiento, que aparentemente es pasivo —por algo hablamos de la Pasión—, es en realidad una lucha contra la oscuridad y lo demoníaco, contra el poder del mal. Vence a los demonios que quieren evitar que el hombre viva su vida y se abra a Dios. En el sufrimiento —así lo entiende también el evangelista Marcos— nos sumergimos en la oscuridad de este mundo. Pero si soportamos el sufrimiento con amor como lo hizo Jesús, venceremos al poder de la oscuridad. Entonces la experiencia de la más profunda debilidad se convertirá en una vivencia del mayor poder. Y el fuerte grito de Jesús en la cruz no es un grito de abandono, sino un grito de triunfo sobre el poder de los demonios. Frente a su grito, se rasga el velo del templo. Entonces se hace posible para todos acceder a Dios, incluso para los fracasados, incluso para aquellos que se sienten abandonados y expulsados por los piadosos. El sufrimiento, como nos muestra el relato de la Pasión según san Marcos, puede quitar el poder a los demonios de este mundo, superar la oscuridad y transformar el mundo del mal. Quizá quisiéramos responder entonces que Dios debería liberar y salvar a cada uno de su sufrimiento. Pero a veces no nos queda otra cosa que entrar con Jesús a nuestra enfermedad y nuestro sufrimiento, y soportarlo con impotencia y desamparo. Entonces cambiará desde adentro. Precisamente en el sufrimiento seremos permeables a Dios. El destino de Jesús nos quita la ilusión de que Dios nos liberará de todo sufrimiento. Dios no nos libera, pero nos fortalece, como a su hijo Jesucristo, para que soportemos la oscuridad e incomprensibilidad de nuestro sufrimiento con la impotencia del amor y lo transformemos en un lugar de profunda experiencia divina.

La óptica desde la que Marcos relata la Pasión de Jesús vuelve a aparecer en una carta que Teilhard de Chardin, el gran científico y teólogo, le escribió a su hermana Marguérite-Marie, gravemente enferma. Mientras Teilhard viajaba por el mundo y llevaba a cabo importantes investigaciones, su hermana estuvo postrada en su lecho de enferma durante toda su vida. Pero precisamente por esta razón —según considera su hermano— ella aportó más a la transformación del mundo que él con sus muchos éxitos de investigación; ya que ella iluminó desde la profundidad la oscuridad de este mundo y a través del amor dio vida a lo entumecido. En el prólogo de la biografía de su hermana fallecida en el año 1936, Teilhard escribe: "Mientras yo atravesaba naciones y mares al servicio de las fuerzas positivas del universo y me esforzaba apasionadamente por observar todas las tonalidades de la tierra, tú, tendida inmóvil en tu lecho, en la profundidad de tu ser has transformado en luz la oscuridad más terrible del mundo. Dime, Marguérite, ¿quién de nosotros dos ha elegido la mejor parte a los ojos del Creador?" Teilhard de Chardin experimentó a Dios en la vida y a través de la vida. Pero él mismo se formula la pregunta: "¿Pero Dios puede hallarse en cada muerte y a través de cada muerte?" Ésta es, en última instancia, la pregunta que confunde a todos los hombres. Y no obstante, deberemos aprender a reconocer también esto con una mirada ejercitada y experimentada; de lo contrario permaneceremos ciegos para lo más específicamente cristiano del pensamiento cristiano, y perderemos el contacto con Dios en uno de los aspectos más extensos y susceptibles de nuestra vida" (Teilhard de Chardin, *Der göttliche Bereich* ["El medio divino"] pág. 78). Para Teilhard, la esencia de lo cristiano radica en que pasamos por encima de la muerte "al descubrir en ella a Dios". Luego —opina— hallaremos lo divino en nuestro corazón. La muerte y la resurrección de Jesús nos muestran que "Cristo superó la muerte no sólo al evitar sus fechorías, sino dando vuelta su aguijón. Gracias a la resurrección, ya nada conduce inevitablemente a la muerte. Todo puede convertirse para nuestra vida en el contacto bendito con las manos divinas, en la influencia bendita de la voluntad divina" (íb., pág. 81). Con estos pensamientos Teilhard ha traducido a nuestra época actual la óptica del Evangelio según san Marcos acerca de la muerte y la resurrección. Teilhard nos anima a descubrir a Dios precisamente en el sufrimiento inefable. Seguramente esto nos resulta a menudo difícil. Y alguno se resiste a buscar a Dios precisamente allí. Pero el Evangelio según san Marcos nos muestra que en el sitio de la mayor derrota, en la cruz, tenemos abierto el acceso a Dios. El velo del templo se rasga y estamos más cerca que nunca de Dios.

El evangelista Mateo desiste de interpretar el sufrimiento de Jesús. Él describe, por un lado, muy objetivamente el sufrimiento sin interpretarlo. Dios parece estar lejos del sufriente Jesús. No interviene. No evita el sufrimiento. El sufrimiento de Jesús parece no tener sentido. No obstante, si observamos más detenidamente el relato de la Pasión según Mateo, reconoceremos puntos de partida para una interpretación. Junto al Monte de los Olivos describe cómo Jesús lucha con Dios y le pide a su Padre que el cáliz del sufrimiento pueda pasar de largo junto a Él. Pero finalmente se entrega a la voluntad de Dios. En la oración reconoce que este cáliz no puede pasar junto a Él sin que lo beba. Y así se entrega a la voluntad de Dios (Mt 26, 42). Del mismo modo que enseñó a sus discípulos a rezar en el Padrenuestro, lo hace Él mismo: "Hágase tu voluntad". ¿Significa esto que el sufrimiento es la voluntad de Dios? Por cierto, no debemos interpretar así esta oración. Jesús reconoce precisamente en la oración que no debe escaparse del sufrimiento, dado que en ese caso se quebraría su solidaridad con los discípulos. Si bien así Él quedaría a salvo, le quitaría a su mensaje la consecuencia y claridad. Para Jesús, la voluntad de Dios en esta situación concreta consiste en no apartarse del sufrimiento sino en soportarlo. Para Mateo, Jesús se convierte en el maestro digno de crédito porque vive en sí mismo aquello que proclama a sus discípulos.

Jesús nos invita a rebelarnos contra el sufrimiento y a luchar frente a Dios para que el cáliz pase de largo junto a nosotros. Pero a menudo no nos queda otra cosa que rendirnos con Jesús a la voluntad incomprensible de Dios y confiar en que, incluso en el sufrimiento, Dios nos sostiene en su mano y no nos permite caer.

Con el fin de documentar que la Pasión de Jesús no significa el fracaso de su misión sino que era acorde a Dios, Mateo cita una y otra vez pasajes de los salmos. Tanto en la traición de Judas como también en el camino hacia el Monte de los Olivos intercala pasajes del profeta Zacarías para interpretar el acontecimiento de la Pasión. En la Pasión de Jesús se cumple lo anunciado por los profetas. En el aparente mal tiene lugar la salvación del pueblo. Jesús es traicionado, pero Dios transforma esta traición en bendición para los hombres. Dios no interviene durante este sufrimiento cruel y aparentemente sin sentido. Sólo cuando Jesús muere, reacciona la tierra y se oscurece durante la lucha de Jesús con la muerte. En su muerte Jesús experimenta la oscuridad de todos los hombres, la oscuridad del mal y el sinsentido del sufrimiento. Inmediatamente después de su muerte se registra un terremoto, las rocas se parten y muchos muertos salen de sus tumbas. A través de esta reacción del cosmos, Dios responde al sufrimiento de Jesús. El corazón endurecido de los hombres se parte. La tierra tiembla y reconoce que en este Jesús el mismo Dios ha soportado el dolor y lo ha transformado. El velo en el templo se rasga. Ahora todos tienen acceso al lugar sagrado, a Dios, en el que podemos estar salvos e íntegros. El sufrimiento de Jesús abre a Dios nuestros corazones cerrados. Dios confirma a su Hijo en la resurrección. Allí demuestra que ni el sufrimiento más cruel ni la muerte más violenta son la última palabra. Tampoco en el sufrimiento Jesús se caerá de la mano de Dios, aunque ya no la perciba.

Por otra parte, Mateo no trató el problema del sufrimiento solamente en su relato de la Pasión. Una y otra vez describe situaciones en las que los hombres se enfrentan con el sufrimiento. Para él, en el sufrimiento se trata de creer firmemente. Pero nuestra fe es con frecuencia demasiado pequeña. En el relato de la tormenta del mar, Pedro teme ahogarse en los torrentes de agua porque presta excesiva atención a las olas y a la tormenta. Cuanto más concentrados estemos en el sufrimiento que nos ocurre, tanto más nos hundiremos en él. Es necesario elevar la mirada a Jesús. La respuesta de Jesús frente al miedo de los discípulos a sucumbir es: "¡Ánimo, no teman, soy yo!" (Mt 14, 27). Y la respuesta a Pedro también se aplica para nosotros cuando estamos a punto de desanimarnos en el sufrimiento: "Hombre de poca fe, ¿por qué has vacilado?" (Mt 14, 31). En Mateo no se trata de tener o no fe, sino de tener fe débil o fe intensa. Necesitamos una fe intensa para poder subsistir en el sufrimiento.

La respuesta que Mateo da a la pregunta del sufrimiento aparece al comienzo y al final del Evangelio: Jesucristo es el Emanuel, el Dios con nosotros. Así lo proclama el ángel a José antes del nacimiento de Jesús. Y al final lo promete el resucitado a sus discípulos: "Yo estoy con ustedes todos los días hasta el fin de la historia" (Mt 28, 20).

Jesús se enfrenta al sufrimiento desde el nacimiento. Herodes da la orden de matarlo. Mientras José, por indicación del ángel, huye a Egipto con María y el niño, Herodes hace matar a todos los niños de hasta dos años de edad. Esto parece ser un sufrimiento sin sentido. ¿Por qué deben sufrir los niños? Mateo no da ninguna respuesta a ello. En el sufrimiento él sólo ve el cumplimiento de aquello "que había anunciado el profeta Jeremías: En Ramá se oyeron gritos, grandes sollozos y lamentos; es Raquel que llora a sus hijos; éstos ya no están y no quiere que la consuelen" (Mt 2, 17 y sig.). Él tiene en cuenta que puede existir un sufrimiento tal. Pero en medio del sufrimiento comienza el relato de la Salvación. Jesús va creciendo en la distancia y se convierte en el verdadero redentor y salvador. Con la muerte de Jesús en la cruz se completa el sufrimiento iniciado con su nacimiento. Mateo no nos dice por qué debe ser así. Pero el evangelista está convencido de que en medio de este sufrimiento Dios suscita la salvación y la redención para todos nosotros. Dios confirma al Jesús sufriente en la cruz a través de la reacción de todo el cosmos. Y lo confirma en la resurrección. Así, Dios tampoco nos liberará sencillamente del sufrimiento a nosotros, los hombres. Pero la historia de Jesús nos muestra que, en medio de nuestro sufrimiento Dios, ya provoca la salvación y que, a más tardar en la muerte, Dios nos mostrará que no nos ha dejado solos, sino que siempre estuvo junto a nosotros en Jesucristo, el Emanuel, que ahora transmuta nuestro sufrimiento y lo elimina para siempre en la muerte.

Lucas, que escribe su Evangelio en el contexto de la filosofía griega, describe a Jesús en su sufrimiento como el hombre verdaderamente justo, que cumple el ideal de la filosofía griega de un hombre justo y recto. Ya para Platón, el mayor filósofo de Grecia, estaba claro que en nuestro mundo injusto, marcado por las intrigas, un hombre verdaderamente justo no puede salir indemne. Se lo expulsará de la ciudad porque perturba nuestros círculos injustos. Se lo prenderá y finalmente matará en la cruz.

Jesús colma el anhelo de los griegos del hombre verdaderamente justo. Él muestra que el sufrimiento no lo aparta de Dios y del camino correcto. Él sigue su camino hasta el amargo final. Incluso en la cruz continúa rezando por sus enemigos. Y rezando se deja caer, en su muerte, en las manos bondadosas de Dios. El sufrimiento de Jesús es para Lucas como un drama griego, como una tragedia en la que muere el héroe. Pero los espectadores se transforman a través de esta obra. La obra lleva a los griegos a la catarsis, a la purificación de las emociones, a la salvación espiritual del hombre. Lucas lo describe también en la muerte de Jesús: "Y toda la gente que se había reunido para ver este espectáculo, al ver lo ocurrido, comenzó a irse golpeándose el pecho" (Lc 23, 48). Al golpearse el pecho toman contacto con su núcleo divino y regresan a casa interiormente transformados. Lucas nos muestra cómo Jesús domina el sufrimiento: con rectitud, como hombre justo que no se deja apartar de su camino de justicia y de amor. Y como hombre que mantiene su amor hasta el final. El centurión reconoce, en este Jesús agonizante, al justo, a aquel que los griegos esperaron desde siempre. Quien observa a este Jesús reconocerá de qué es capaz un hombre; entenderá el misterio del hombre justo, recto, verdadero. Observar la Pasión de Jesús lo conduce a una nueva comprensión del sufrimiento. Y esta contemplación comprensiva transforma al hombre y lo redime de todo sinsentido. Al mirar a Jesús en la cruz, tratamos de otro modo a nuestro propio sufrimiento.

Para Lucas, la muerte y la resurrección de Jesús son el cumplimiento de "todo lo que está escrito en la Ley de Moisés, en los Profetas y en los Salmos referente a mí" (Lc 24, 44). La muerte y la resurrección de Jesús son el resumen de todas las Sagradas Escrituras. Allí se hace evidente lo que Dios ha suscitado también una y otra vez en la historia de Israel: que Él despierta una nueva vida, que ilumina la oscuridad, que libera las cadenas, que rescata a quienes se hunden, que sana a los enfermos y da vida a los muertos. En la resurrección de Jesús, Dios también escucha nuestro grito y nuestra oración, a la que el salmista le presta las palabras: "Sácame del barro, que no me hunda; líbrame del vértigo del agua profunda. Que las olas no me sumerjan ni me trague el torbellino ni el pozo cierre sobre mí su boca" (Salmo 69, 15 y sig.).

La muerte y la resurrección de Jesús muestran que no existe nada que Dios no pueda transformar, que no existe ninguna tumba en la que no reine la vida, ninguna oscuridad que no ilumine, ninguna miseria que no pueda cambiarse, ninguna desesperación que no pueda convertirse en esperanza. En la muerte y resurrección de Jesús podemos reconocer que no existe nada que nos haga separarnos "del amor de Dios, que está en Jesucristo, nuestro Señor" (Rm 8, 39). Querido lector, Lucas te invita a reencontrar tu propio destino en el drama de la vida de Jesús. No te da explicación alguna para tu sufrimiento, pero al observar la tragedia que el Evangelio te presenta, quisiera purificar tus emociones, transformar tu dolor, apaciguar tu desesperación y transformar tu ira en una nueva fuerza para la vida.

Juan describe a Jesús en su sufrimiento pleno de majestuosidad. El sufrimiento parece no atacarlo. Él es el que realmente dirige la situación. Aunque hacia afuera muere cruelmente, esta muerte no puede dañar a Jesús. Dos modelos de interpretación son importantes para el Evangelio según san Juan. Por un lado, el pensamiento "Mi reino no procede de este mundo" (Juan 18, 36). Aun cuando los romanos azotan a Jesús y lo clavan cruelmente a la cruz, no pueden quitarle su dignidad real. Esto es también una imagen para nosotros: no podemos eludir completamente al sufrimiento; en algún momento nos alcanzará. Pero cuando nos alcanza, no puede quitarnos nuestra dignidad real. Existe en nosotros un reino, un ámbito interior de silencio, en el que Dios vive y donde nadie puede lastimarnos. Si bien el sufrimiento puede dañarnos y perjudicarnos emocional y físicamente, no puede destruir nuestro reino, nuestra verdadera dignidad. Ésta es indestructible porque es divina, porque no es de este mundo. Éste es el mensaje del Evangelio según san Juan. En este sentido, en medio del sufrimiento es posible probar caminar erguido a través del bosque, diciéndose una y otra vez a sí mismo: "Mi reino no procede de este mundo". Querido lector, quizá vislumbres que el sufrimiento no te quebrará. Si bien te quitó tu fuerza y la tristeza te hundió, en medio de esta debilidad, en este doblegamiento, en esta soledad existe algo en ti que no puede ser destruido. Es tu dignidad real. Es el reino, el ámbito interior en el que Dios vive y reina en ti. Allí, donde Dios está en ti, el sufrimiento no puede dañarte. Oscurecerá tus emociones, confundirá tu espíritu, pero no atacará al núcleo más interno. Es un reino que no proviene de este mundo. Por esta razón, el mundo con todo el sufrimiento y con todos los golpes del destino no tiene el poder sobre tu reino interior.

El segundo mensaje de Juan es que Jesús en la cruz nos amó hasta el final. El sufrimiento es para Jesús, entonces, expresión de su amor, el punto culminante de su amor. Es, en último término, el amor de quien muere por sus amigos y así les demuestra su amor hasta el final: "No hay amor más grande que dar la vida por sus amigos" (Juan 15, 13). En el sufrimiento de Jesús reconocemos su amor hacia nosotros, un amor que no conoce fronteras. Aquí Jesús interviene con toda su existencia a favor de nosotros. Jesús ama a sus ovejas y entrega su vida por ellas (cf. Juan 10, 14 y sig.). Y en el amor de Jesús se revela el amor de Dios hacia nosotros. Con su Evangelio, Juan quiere mostrar que no se está solo en el sufrimiento, sino que Jesús acompaña a cada persona como un amigo. Él mantiene la amistad con cada uno en el sufrimiento. Él no nos abandona como muchos supuestos amigos que de pronto desaparecen cuando estamos aplastados por el dolor. Y Juan desea movernos a aceptar el sufrimiento que nos ha tocado a cada uno desde afuera y que representa una carga pesada, y a transformarlo en un acto de entrega a Dios. Quizá parezca excesivamente difícil. Yo personalmente tampoco sé si en un caso concreto podría realizarlo. Pero percibo allí un camino para transformar lo que me ocurre y me contraría. Si en medio de mi sufrimiento incomprensible me rindo a Dios, se abrirá para mí una fuente de amor que dará al sufrimiento un sabor distinto. Al entregarme al Dios incomprensible, experimento en medio de la incomprensibilidad una paz que es más fuerte que la atracción hacia la profundidad.

Los cristianos han meditado desde siempre acerca de la Pasión de Jesús. En la Edad Media existía una "devoción *compassio*". Ésta trataba de representar el sufrimiento humano de Jesús en el arte, y pintarlo en lo posible de manera concreta, para sentir a través de ello compasión con Jesús que ha padecido y muerto por nosotros. La compasión era un camino para sentir el amor de Jesús hacia nosotros y para estar agradecidos de que Dios en Jesús se haya abocado así al sufrimiento humano. Los cristianos sabían en aquella época que Jesús no necesitaba nuestra compasión. Pero a través de la meditación entraban al sufrimiento de Jesús para sentir más intensamente su amor. Al mirar a Jesús que padeció y murió por ellos, ellos sentían que eran totalmente amados. Esta "devoción *compassio*" no era, sin embargo, sólo un camino de meditación en silencio. También llevaba a que los cristianos desarrollaran una sensibilidad hacia todos los sufrientes. La preocupación por los enfermos y sufrientes que caracteriza al cristianismo se funda en esta compasión para con el Cristo sufriente y con todos los sufrientes de este mundo. En la actualidad, en muchas escuelas existe un proyecto educativo especial que se denomina "compasión". Se trata de despertar en los alumnos y alumnas un sentimiento frente al sufrimiento del mundo y a exhortarlos a una solidaridad activa para con los sufrientes.

En la devoción popular surgieron muchas celebraciones de la Pasión. En el siglo XVII eran populares los vía crucis. Y en muchos sitios de peregrinación surgieron vía crucis con catorce estaciones que podían recorrerse, para detenerse en cada estación y realizar una observación de la respectiva imagen de la estación. Además, existían celebraciones con respecto a las cinco heridas de Jesús o a las *Arma Christi (instrumentos de la Pasión)*. El pueblo se colocaba en la situación de Jesús, sentía con Él y reconocía precisamente allí una respuesta al propio sufrimiento. Las celebraciones despertaban en los cristianos la confianza de que tampoco su sufrimiento era en vano, sino que era transformado por Cristo. Y aprendieron que no estaban solos en su sufrimiento, sino en comunión con Jesús, que padecía un destino similar, que incluso tomó sobre sí dolores muchísimo mayores por los hombres. Un hermano mayor de la Orden, que incluso a edad avanzada continuaba siendo optimista y lleno de vida, ante la pregunta del abad acerca de cómo había encontrado el camino hacia esa alegría de vivir respondió: A través del vía crucis. Meditar con frecuencia sobre el vía crucis había transformado su sufrimiento, haciendole adquirir la fuerza para soportar sin amargarse.

Los primitivos *spirituals* norteamericanos cantaban una y otra vez el camino de la Pasión de Jesús. Para los esclavos de origen africano, cantar la Pasión de Jesús era un camino para mantener su propia dignidad, para no rendirse a pesar de toda la opresión. En Jesús, que padeció la Pasión pero a que través de la muerte llegó a la resurrección, resplandecía para ellos una imagen de esperanza para su propio camino. Y ellos sentían que —aunque oprimidos y humillados— poseían sin embargo una dignidad divina. Si Jesús, el Hijo de Dios, padeció el mismo destino, el sufrimiento era un camino para acercarse a este Jesús y experimentar la comunión con Él. De esta manera, estas personas se sentían, a pesar de la humillación, más fuertes que sus opresores. Para Martin Luther King, la Pasión de Jesús mostraba un camino para rebelarse pacíficamente contra la injusta segregación racial y para derrocar al poder, con frecuencia despiadado y crudo. Los manifestantes estaban dispuestos a sufrir por su buena causa, y así vencían la violencia que se les oponía. Frente a las personas sufrientes, los policías eran impotentes. Johann Baptist Metz siempre reivindicó la "*memoria passionis*", la memoria del sufrimiento, como signo característico de la fe cristiana. Él habla de un recuerdo peligroso que sacude los fundamentos de nuestro mundo consolidado en sí mismo. Y se rebela contra una espiritualidad "con excesivo júbilo y muy poco dolor, excesiva conformidad y muy poco anhelo, excesivo consuelo y muy poca sed de confortación (Metz, *Gottespassion* [La Pasión de Dios], pág. 30).

Dar sentido al sufrimiento

Cuando alguien es sorprendido por una enfermedad incurable, cuando uno pierde a un ser querido en sus mejores años a causa de un accidente de tránsito o por cáncer, es muy difícil que podamos encontrarle un sentido. Involuntariamente nos resistimos a darle un sentido a lo incomprensible y horrendo. Sin embargo, es importante soportar este sinsentido y no considerarlo con excesiva premura como algo sensato. Al mismo tiempo, en medio del absurdo, es necesario no abandonar la esperanza de comprender lo incomprensible y de descubrir el sentido que podría estar detrás de todo esto. De lo contrario, todo parecería absurdo y quedaríamos atascados en medio del absurdo de la propia vida. En esta situación debo tratar de entender mi sufrimiento. En caso contrario, no podré soportarlo. En mi búsqueda del sentido es útil consultar a Jesús para saber qué tiene Él para decirme. Por otra parte, puede ser útil observar a personas o bien leer biografías como por ejemplo la del psicoterapeuta judío Viktor E. Frankl, que padeció un sufrimiento inmenso en el campo de concentración y sobrevivió gracias a que él le dio a esta experiencia un sentido significativo y personal.

Jesús no ha expresado nada acerca del porqué y para qué del sufrimiento. Su respuesta es existencial. Él mismo atravesó el dolor y le dio así un nuevo sentido al sufrimiento. Pero tanto en los evangelios como en las Epístolas del Nuevo Testamento encontramos puntos de partida para una respuesta a la pregunta acerca de cómo vencer nuestro dolor y qué sentido podemos darle a nuestro sufrimiento. Quisiera tomar sólo un par de respuestas que personalmente me parecen importantes para la interpretación y el dominio existencial del sufrimiento:

Para el evangelista Lucas, el camino de la Pasión de Jesús, que lo conduce a través de la cruz hacia la resurrección, representa un modelo para los cristianos y, simultáneamente, una clave para poder comprender nuestro propio calvario. También nuestro camino conducirá a través de ciertas miserias. En los Hechos de los Apóstoles, Pablo alienta a los discípulos a no temer el dolor y la persecución: "Es necesario que pasemos por muchas pruebas para entrar en el Reino de Dios" (Hechos 14, 22). Para Lucas, el autor de los Hechos de los Apóstoles, el sufrimiento significa, por lo tanto, un paso hacia el Reino de Dios. Podemos darle un sentido al sufrimiento si permitimos que éste nos abra a Dios, para que Dios reine en nosotros. Con frecuencia corremos el riesgo de acaparar a Dios para nosotros e instalarlo en nuestra devoción. El sufrimiento profundo puede hacer volar ese edificio de devoción construido por uno mismo, para que estemos abiertos al Dios totalmente distinto, al Dios inalcanzable e incomprensible. Lucas considera, evidentemente, que sin sufrimiento correríamos el riesgo de que no fuera Dios quien reinara en nosotros, sino nuestro propio ego. El sufrimiento destruye el ego para que Dios gane espacio en nosotros y nos moldee de acuerdo con su imagen.

Lucas nos ofrece una interpretación importante del sufrimiento en su relato de los discípulos de Emaús. Dos discípulos se encuentran en el camino hacia Emaús. Se alejan horrorizados porque no comprenden la muerte de Jesús en la cruz. No pueden entender qué sentido puede tener esta muerte. Todos ellos habían depositado su esperanza en Jesús; pero esta esperanza, evidentemente, fue quebrada. Ahora experimentan un profundo sinsentido. Ya no saben en qué depositar su esperanza. Entonces Jesús les indica su propio camino. Su camino responde a lo que los profetas habían dicho de Él. Su camino es, por lo tanto, acorde a las Escrituras. Y coloca en sus manos una llave que les abrirá el sentido de su sufrimiento: "¿No debía padecer todo esto el Mesías para entrar en su Gloria?" (Lc 24, 26). Al igual que aquí, Lucas habla varias veces del "deber" divino.

Quizás, al hablar del "deber divino", Lucas, que conoce la filosofía griega como ningún otro evangelista, se refiere a la doctrina griega del *"ananké"*, la necesidad del destino. Pero este deber no es para Lucas un destino hostil que debemos soportar. Vislumbramos allí una disposición divina que no comprendemos y frente a la cual no debemos preguntar el por qué. Simplemente es así. Si la aceptamos, también comprenderemos su sentido. Para Lucas, el sentido del sufrimiento consiste en que es el paso hacia la gloria que Dios ha preparado para cada uno de nosotros. Jesús no se quedó en la muerte sino que Dios lo resucitó, obsequiándole así su primitiva gloria original. Lo que vale para Jesús es también para nosotros un camino para darle un sentido al sufrimiento. El sentido de aquello que nos ocurre, que contraría nuestra vida, está en que cada vez nos abramos más para llegar a la gloria. En griego este proceso se denomina *doxa*. Este concepto no significa únicamente gloria sino también figura, forma. *Doxa* se refiere a la figura primitiva que Dios pensó para cada hombre, la imagen única que Dios se ha hecho de cada uno. El sufrimiento destruye las imágenes con las que con frecuencia nos hemos cubierto; así, por ejemplo, la imagen del hacedor exitoso o del piadoso con paz interior, del hombre sereno que se encuentra por encima de todo, del hombre espiritual que se siente uno con Dios. No debemos buscar el sufrimiento, pero siempre se cruzará en nuestro camino. Y tendrá el sentido de destruir estos espejismos que nos hemos hecho de la vida y de nosotros mismos. Cuando se diluyan las imágenes que nosotros mismos hemos creado, podrá resplandecer en nosotros la imagen primitiva de Dios; entonces estaremos en contacto con el brillo de nuestra alma, que Dios nos ha obsequiado ya en el nacimiento. Lucas remarca esta óptica del sufrimiento cuando hace hablar al Resucitado a los discípulos reunidos en Jerusalén: "Soy yo" (Lc 24, 39). En griego dice aquí: "*Ego eimi autos*". "*Autos*" significa, en la filosofía estoica, el santuario interior del hombre al que no deben acceder los demás, al cual el mundo no tiene acceso y sobre el que no tiene poder. A través de la muerte y la resurrección también nosotros llegamos a nuestro verdadero ser, a la imagen auténtica de Dios en nosotros. En la muerte se evidencia este verdadero ser. Pero la muerte y la resurrección no tienen lugar —según Lucas— recién en ocasión de nuestra muerte física; en cada sufrimiento se encuentra la muerte que nos abrirá nuestro verdadero ser. Es decir, para Lucas, en el dolor se encuentra un paso sustancial hacia el camino de nuestra autorrealización: es la experiencia de "*autos*" del santuario interior de nuestra alma, que ya no puede ser destruida ni lastimada.

Ayuda a través de la Biblia

Querido lector, si te encuentras sumido en el sufrimiento y frente a tanto sinsentido apenas puedes soportar el dolor, la solución que Jesús ofrece en el Evangelio según san Lucas no te convencerá de inmediato. Jesús transita previamente un largo camino con los discípulos de Emaús. Los acompaña. Soporta su tristeza. No los instruye, pero intenta interpretar su experiencia de desamparo y desesperación con relación a la Biblia. En medio del camino que recorre con ellos, les dice las palabras en cuya luz deberían observar su propio destino. Ellos deberían preguntarse si no se hicieron un espejismo con su vida. No es fácil dejarse quitar los espejismos con los que vivimos. Muchos se quiebran en el sufrimiento porque no están dispuestos a permitir que se quiebren sus propias concepciones de la vida. Cuando les ocurre una desgracia se aferran a la imagen que tienen de sí mismos y a su imagen de Dios. Dicen: "¿Cómo puede Dios permitir esto si soy una persona tan piadosa? Todos los domingos iba a la iglesia. Recé todos los días. Me esforcé en vivir cristianamente. Bendije a mis hijos antes de la partida. Y, sin embargo, tuvieron desgracias". Otros dicen: "¿Por qué debo enfermarme, si vivía de manera saludable? No fumaba ni bebía alcohol. Diariamente practicaba deportes y me alimentaba bien. ¿Cómo puede pasar esto?" Detrás de estas frases se esconde el espejismo de que uno mismo pudiera garantizar su propia salud o una vida libre de sufrimientos. Sólo sería necesario vivir saludablemente, sólo sería necesario practicar una sana espiritualidad, sólo sería necesario rezar por uno y por las personas que amamos, y así ningún sufrimiento debería alcanzarnos. Pero es y seguirá siendo una ilusión. Sin duda es conveniente vivir saludablemente. Pero a pesar de ello no podemos asegurarnos una vida sin sufrimientos en virtud de nuestra forma de vida. El sufrimiento siempre puede aparecer en nuestras vidas. El sufrimiento no es obligatorio, no es vitalmente necesario. Pero la experiencia demuestra que una y otra vez nos alcanza. En estos momentos la gente busca inmediatamente las causas de este sufrimiento. Unos buscan la culpa en sí mismos. Esto se ve mucho en la actualidad en el esoterismo. Una interpretación habitual en este sentido es: "Tú mismo te provocas el sufrimiento, la enfermedad". Pero con tales ideas sólo transmito sentimientos de culpa a cada enfermo y a cada persona que ha sido alcanzada por el dolor. Al fin y al cabo, con ello le estoy diciendo: "Tú mismo tienes la culpa".

La respuesta del Evangelio de san Lucas es sustancialmente más útil: No sabemos por qué nos tocó el sufrimiento. Simplemente nos ocurre. Y es bueno renunciar a preguntarse el porqué. Pero en cambio, me puedo preguntar el "para qué". Me pregunto qué hacer con el sufrimiento, cómo puedo encontrarle un sentido. Y de pronto se abre para mí en toda su significación la Palabra de Jesús: El sufrimiento me abrirá a Dios y a la imagen original que Dios se ha hecho de mí. El sufrimiento representa el paso hacia el brillo primigeneo de mi alma y hacia la gloria que me espera después de todo el pesar de la muerte.

¿Pero es esta clave verdaderamente útil para comprender el sufrimiento a quien sufre aparentemente sin sentido, al que está marcado para toda la vida por su sufrimiento, a quien tras un accidente queda cuadripléjico, para aquel cuya psique queda dañada por el shock del accidente, para aquel cuya cara queda desfigurada para siempre a causa de las muchas cicatrices, para aquel que ha perdido todo y vive sin ninguna esperanza?

Siempre debemos tener cuidado en las respuestas que damos a nuestros semejantes con respecto al sentido de su sufrimiento. Muchas veces parecen cínicas. Jesús interpreta su propio sufrimiento y no el de los discípulos. Y recorre un largo camino con ellos. En el diálogo con Él puede transformarse su visión del sufrimiento. Jesús no obliga de ninguna manera a los discípulos a interpretar el sufrimiento como Él. Les ofrece una ayuda para entenderlo. Ellos escuchan. Y de pronto, se ilumina su corazón. Algo en ellos se conmueve por la manera en que Jesús habla de su sufrimiento. Lucas nos cuenta relatos para que podamos reflejarnos en la historia. No nos da instrucciones: "Tú debes entender tu sufrimiento de tal o cual modo". En cambio, nos invita a ver y a comprender nuestro propio sufrimiento a la luz de la historia de los discípulos de Emaús. Si me hundo, como sufriente, en el camino de Jesús y reconozco cómo Él domina y comprende su sufrimiento, crecerá en mí la idea de que mi sufrimiento no es en vano. Quizá también yo me abra y descubra el verdadero misterio de la vida, y surja en mí la imagen auténtica de mi existencia que es independiente de la salud y la fuerza, del éxito y el reconocimiento. Incluso si me fuera quitado todo lo que para mí es digno de vida, existe un brillo en mi alma que no puede ser destruido.

El apóstol Pablo desarrolló una teología propia del sufrimiento. Él comprendió que participaba del sufrimiento de Cristo. Pero en el sufrimiento también participaba del consuelo que Cristo le daba: "Pues en la misma medida en que los sufrimientos de Cristo recaen abundantemente sobre nosotros, el consuelo de Cristo también nos llega con mayor abundancia" (2 Cor 1, 5). A Pablo no le interesa la pregunta acerca de por qué debe sufrir. Él experimenta en el sufrimiento la comunión con Jesucristo. En el sufrimiento se parece a su Señor. De tal modo, el sufrimiento es para él la experiencia de una cercanía especial con Jesucristo. Y el sufrimiento sirve para su evangelización. Dado que sufre como Jesús, puede proclamar con fe el mensaje de la redención en la muerte y la resurrección de Jesús. Es un anuncio no sólo con palabras sino con toda su existencia. Si un hombre que ha padecido mucho nos cuenta de la esperanza que lo anima, su palabra será creíble para nosotros.

Pablo experimenta en su propio destino el misterio de la muerte y la resurrección de Jesús, el misterio de que en medio de la muerte hay vida, en medio de la oscuridad, luz: "Nos sobrevienen pruebas de toda clase, pero no nos desanimamos; estamos entre problemas, pero no desesperados; somos perseguidos, pero no eliminados; derribados, pero no puestos fuera de combate. Por todas partes llevamos en nuestra persona la muerte de Jesús, para que también la vida de Jesús se manifieste en nuestra persona. Pues a los que estamos vivos nos corresponde ser entregados a la muerte a cada momento por causa de Jesús, para que la vida de Jesús se manifieste en nuestra existencia mortal" (2 Cor 4, 8-11). De estas palabras surge que Pablo entendió su sufrimiento como una distinción. Él experimentó así el misterio de la resurrección. La resurrección no se manifiesta para él, en un mundo perfecto, sino que demuestra su poder en el sufrimiento, en la falta de salida, en las miserias. Pablo experimenta su debilidad como el lugar donde Dios hace resplandecer el poder y la gloria de Cristo. Pablo preferiría aparecer poderoso, pero debe reconocer que Cristo desea revelarse justamente en su debilidad.

Pablo da otro significado más al sufrimiento: nos lleva hacia lo más íntimo de nuestra alma. El sufrimiento es un camino hacia el interior: "Aunque nuestro exterior está decayendo, el hombre interior se va renovando de día en día en nosotros" (2 Cor 4, 16). A través del sufrimiento perdemos las cosas externas como la posesión, el éxito, la salud y la seguridad. Pero es una oportunidad para permitir que aparezca el hombre interior. Evidentemente, el hombre interior es para Pablo aquel que está penetrado en su totalidad por Jesucristo, y el mundo no tiene poder alguno sobre él. En este hombre se evidencia la invisibilidad de Dios. Si en el sufrimiento nos dejamos guiar hacia el hombre interior, el sufrimiento no tendrá el poder último sobre nosotros. Servirá a nuestro camino espiritual hacia el interior. De tal modo, Pablo puede proclamar pleno de confianza: "Nos tocan mil penas y permanecemos alegres. Somos pobres y enriquecemos a muchos; no tenemos nada y lo poseemos todo" (2 Cor 6, 10).

En la Epístola a los Colosenses un colaborador o discípulo de san Pablo asignó al sufrimiento un sentido nuevo cuando escribió: "Ahora me alegro cuando tengo que sufrir por ustedes porque así completo en mi carne lo que falta a los sufrimientos de Cristo para bien de su cuerpo, que es la Iglesia" (Col 1, 24 y sig.). El autor, que habla aquí en nombre del apóstol Pablo, se refiere en primer lugar al sufrimiento que experimenta con el anuncio del Evangelio. Pero sus palabras se aplican también a todo sufrimiento que experimentamos al servicio de los demás. Quien conduce una empresa padecerá a menudo las dificultades que acarrea su función. Quien se entrega a su familia como padre o madre, muchas veces sufrirá; cuando los niños estén enfermos, cuando tomen otros caminos o parezcan que no encuentran el rumbo, también sufrirán. El que se compromete políticamente por los hombres, estará en dificultades. Es claro que podríamos quejarnos o utilizar como reproche frente a los demás la pena que nos ocasiona el atenderlos: "Me sacrifico tanto por vosotros y ésta es vuestra recompensa". O al igual que el autor de la Epístola a los Colosenses, podemos alegrarnos del sufrimiento, porque lo soportamos por los hombres. Entonces el propio sufrimiento adquiere otro sabor. No se nos nota. No lo evidenciamos. No obstante, persiste el riesgo de identificarse con el arquetipo del mártir. Debemos padecer tanto porque nos aferramos a la fe correcta, a la actitud correcta. Quien se siente mártir utiliza su sufrimiento como reproche frente a los demás o se coloca por encima de ellos. Pero de esta manera se ciega a sus propias facetas agresivas. Su sufrimiento es la expresión de la agresión contra sí mismo y contra los hombres. Entonces, no emana nada sanador de su sufrimiento, sino más bien confusión y escisión. La Epístola a los Colosenses remite a otro camino: la alegría en el sufrimiento transforma nuestro sufrimiento y lo oculta frente a los demás. Y nuestra pena se convierte en una fuente de salvación y liberación para quienes nos rodean.

"Así completo en mi carne lo que le falta a los sufrimientos de Cristo" (Col 1, 24). Los exégetas han especulado mucho sobre esta frase. Ciertamente no quiere significar que la Pasión de Jesús fuera incompleta. El término griego que figura aquí no significa sufrimiento sino miseria. Se refiere a las miserias que soportamos por Cristo y en Cristo. Y estas necesidades debemos soportarlas en lugar de nuestros semejantes, al igual que Cristo. Así se da una nueva interpretación al sufrimiento: No sólo lo soportamos para nosotros mismos, sino también en lugar de los otros. Al soportar lo que me sobreviene creo a mi alrededor una atmósfera que facilita la vida a los demás. Si, en cambio, utilizo mi sufrimiento como reproche contra los otros, genero a mi alrededor un ambiente de remordimientos o agresión. Los otros no querrán saber nada de mí. La aceptación de mi sufrimiento es siempre también una contribución para los demás. Allí donde yo acepte algo, el mundo a mi alrededor será más sano y luminoso. Y los hombres a mi alrededor podrán vivir con más esperanza.

En la Segunda Epístola a Timoteo, se utiliza la imagen del soldado de Cristo para darle un sentido al sufrimiento. El apóstol exhorta a Timoteo: "Soporta las dificultades como un buen soldado de Cristo Jesús. El que se alista en el ejército trata de complacer al que lo contrató y no se mete en negocios civiles" (2 Tim 2, 3 y sig.). A partir de estas palabras el monacato —y en su tradición también san Benito— han acuñado la idea de la *Militia Christi*, de servir como soldado de Cristo. Ser seguidor de Jesús significa para los monjes actuar como soldado de Cristo. Esto implica que el monje acepta la lucha con las pasiones y demonios. En esta lucha es herido y experimenta sufrimientos. Los monjes comprenden este servicio de la guerra no como una intervención misionera para Cristo, sino como una lucha interior. El sitio de la lucha es la propia alma. Allí desean que Cristo sea el verdadero Señor. Los demonios deben ser vencidos para que no le disputen a Cristo su dominio en el alma humana. Quien acepta esta lucha interior, saldrá herido. Pero no se lamentará de ello sino que tomará las heridas como una distinción por su valor en la lucha.

La Epístola a los Hebreos tiene un concepto distinto del sufrimiento: No somos nosotros quienes padecemos con Cristo o para Él con el fin de que su mensaje llegue a los hombres. Para el autor es Cristo quien padece con nosotros. Jesús se ha vuelto semejante a nosotros en nuestra existencia penosa y atacada. Él puede sentir nuestra debilidad y, al igual que nosotros, fue llevado a la tentación. Pero Él no pecó (Hb 4, 15). "Aunque era Hijo, aprendió en su pasión lo que es obedecer; y ahora, llegado a su perfección, es fuente de salvación eterna para todos los que le obedecen" (Hb 5, 8 y sig.). Aquí el autor hace suya una idea griega: que aprendemos a través del sufrimiento. Las dos palabras griegas "*mathein*" (aprender) y "*pathein*" (sufrir) tienen el mismo sonido. El poeta griego Esquilo habló de la escuela de vida del sufrimiento: "Él (Zeus) es quien señaló al hombre el recogimiento interior y estableció el reglamento siempre vigente: aprender a través del sufrimiento" (Grässer, pág. 306). El papa Benedicto XVI se refirió en un discurso que realizó frente a políticos en el año 2001, a este pasaje de la Epístola a los Hebreos. Para él es un desafío de nuestro tiempo que "también obtengamos un nuevo sentido de la dignidad del sufrimiento. Aprender a vivir significa también aprender a sufrir" (Ratzinger, pág. 98).

De acuerdo con la Epístola a los Hebreos, en la escuela del sufrimiento debemos aprender obediencia. En el sufrimiento debemos aprender a obedecer a Dios que es muy distinto de como lo imaginamos. A través del sufrimiento debemos asemejarnos a Jesús y, como Él, ingresar al santuario celestial en el que nos precedió como autor y consumador de la fe. En el sufrimiento debemos mirar a Jesús. Entonces el sufrimiento se convertirá también para nosotros en una puerta hacia el santuario celestial: "Y corramos con fortaleza la prueba que se nos propone, fijos los ojos en Jesús, el que inicia y consuma la fe, el cual, en lugar del gozo que se le proponía, soportó la cruz sin miedo a la ignominia, y está sentado a diestra del trono de Dios. Fijaos en aquel que soportó tal contradicción de parte de los pecadores, para que no desfallezcáis faltos de ánimo" (Hb 12, 1 y sig.).

Jesús, que ingresó al santuario celestial y se sentó a la diestra del trono de Dios, es para nosotros un símbolo de esperanza. Si colocamos los ojos en Él, el sufrimiento perderá su aspecto vergonzoso. El sufrimiento es también para nosotros la puerta a través de la cual ingresamos al santuario interior de nuestra alma. Para el autor de la Epístola a los Hebreos se trata de alentar a los cristianos que experimentan resistencia y pena a su alrededor, para que no desmayen en su camino. Su teología del sufrimiento busca dar nuevo valor a los cristianos cansados. No deben resignarse frente al dolor sino, poniendo la mirada en Cristo, hallar el valor y la fuerza para aceptar las penas como desafío de su fe "en vista de la alegría que está frente a ellos".

La manera de proceder como cristiano frente al sufrimiento también fue un tema importante de la primera Epístola de Pedro. El autor de esta epístola ve en el sufrimiento una prueba. Un cristiano puede tolerar el sufrimiento porque sabe que se encuentra bajo la protección de Dios y que Dios le obsequia la salvación, que le será evidente a más tardar en su muerte. La Epístola dice ya en la introducción: "Por esto estén alegres, aunque por un tiempo tengan que ser afligidos con diversas pruebas. Si el oro debe ser probado pasando por el fuego, y es sólo cosa pasajera, con mayor razón su fe, que vale mucho más (1 Pedro 1, 6 y sig.). En el sufrimiento deberá probarse nuestra fe. Para muchos que pierden a un ser querido la fe se tambalea frente a la muerte repentina. Y muchas veces ya no les resulta posible mantenerse en la fe porque les ha sido quitado el fundamento. Para la Primera Epístola de Pedro, el sufrimiento es como un fuego que purifica la fe de todos los motivos secundarios. En la fe vemos con frecuencia una garantía frente a la desgracia y la enfermedad, o la entendemos como una protección frente a cualquier mal. Tales motivos se queman en el sufrimiento. Para algunos, en el fuego del sufrimiento se pierde la fe. Pero el objetivo —según considera la Primera Epístola de Pedro— es purificar la fe de manera que con nuestro sufrimiento nos entreguemos a Dios y nos aferremos a Él.

En la misma epístola también se menciona una y otra vez el tema de la alegría, con la cual un cristiano debería reaccionar frente al sufrimiento. La alegría se funda en la esperanza de que el sufrimiento es sólo un breve paso hacia la salvación, y que el creyente es probado y purificado en el sufrimiento. Él no se quebrará en el sufrimiento, sino que será más fuerte en su fe: "Más bien alégrense de participar en los sufrimientos de Cristo, pues también se les concederán las alegrías más grandes el día en que se nos descubra su gloria" (1 Pedro 4, 13). El autor se refiere aquí principalmente al sufrimiento que uno padece justamente porque reconoce ser cristiano y da testimonio de Jesucristo. Pero en cierto modo, este motivo se aplica para todo sufrimiento. Debemos alegrarnos en el sufrimiento porque en él experimentamos la comunión con Jesucristo. El sufrimiento es, por lo tanto, un camino a través del cual nos aproximamos a Jesucristo. También aquí se aplica que no debemos buscar el sufrimiento. No debemos causarnos sufrimiento de manera masoquista. Pero si nos toca, entonces nos da la oportunidad de acercarnos a través de él al misterio de Jesucristo y comprender mejor el amor de Jesús hacia nosotros. De este modo, el sufrimiento puede guiarnos más profundamente a la comunión con Jesucristo.

Para muchos, esta teología de la Primera Epístola de Pedro resulta demasiado lejana de su propia experiencia de sufrimiento. El autor debió exhortar a los cristianos a alegrarse por su sufrimiento, ya que por cierto no era ésta su primera reacción. En primer lugar padecieron el sufrimiento igual que nosotros. Pero el autor les muestra un camino para poder manejarse con él de manera diferente. Podemos imaginarnos que no les resultó fácil. Nuestro interior se rebela frente a ello. Pero las palabras de la Primera Epístola de Pedro nos quieren mostrar otra visión del sufrimiento. Desean hacer referencia a que en nuestro dolor y en nuestro sufrimiento existe un estrato profundo en el cual nos sentimos unidos a Cristo. Si podemos realizar esta experiencia, el sufrimiento perderá su poder oprimente y amenazador. Entonces, la alegría transformará el sufrimiento y viviremos nuestras penas de otra manera. Sin embargo, muchas veces es necesario un tiempo prolongado hasta que en medio de nuestro sufrimiento podamos adoptar la visión de la Primera Epístola de Pedro. También podemos permitirnos no reconocer un sentido ni experimentar alegría en nuestro sufrimiento. Pero la confrontación con los textos bíblicos puede abrirnos los ojos poco a poco, de manera que nuestras experiencias cargadas de sufrimiento de pronto parezcan distintas y podamos manejarlas de otra manera.

Ayuda a través de la psicología

Los autores bíblicos nos dieron respuestas teológicas a la pregunta referida al sentido del sufrimiento, cada uno sobre la base de sus propias experiencias y de su comprensión de Jesucristo. En la actualidad, principalmente el psicólogo Viktor E. Frankl trató de darle un sentido al sufrimiento a partir de la psicología y la filosofía. Durante el Tercer Reich como judío, él mismo experimentó en un campo de concentración que sólo aquellos que lograban darle un sentido a su sufrimiento, sobrevivían. Quien se rendía, no tenía posibilidad de sobrevivir. Mientras que Frankl y sus compañeros prisioneros penetraban la tierra helada con picos y palas durante el crudo invierno para cavar un pozo y eran insultados continuamente por los soldados de guardia, él pensaba en su esposa y mentalmente conversaba con ella. Sintió así que el amor le daba un último sentido a su vida: "Capto ahora el sentido de lo último y más extremo que el pensamiento y los poemas del hombre —y la fe— tienen para expresar: la redención a través del amor y en el amor. Entiendo que el hombre, cuando ya nada le queda en este mundo, puede ser feliz —aunque sea durante unos instantes— entregado en lo más íntimo a la imagen del ser amado. En la situación exterior más triste que pueda imaginarse, en una situación en la que no pueda realizarse por su acción, en una situación en la que su única obra consiste en un verdadero sufrimiento, en un sufrimiento íntegro, en tal situación el hombre puede realizarse a través de la observación benévola, de la contemplación de la imagen mental del ser amado que lleva dentro de sí" (Frankl).

Frankl distingue entre valores vivenciales, valores creativos y valores actitudinales que le dan un sentido a la vida. En el sufrimiento, el hombre pierde los valores vivenciales y los valores creativos. Sólo le queda la libertad de adecuar lo que le sucede a su forma más auténticamente propia. En el campo de concentración, Frankl experimentó que se le puede quitar todo al hombre "menos la última libertad humana de tomar tal o cual actitud frente a las circunstancias dadas" (íb., pág. 171). En este sufrimiento atroz aprendió "que no se trata de lo que nosotros esperamos de la vida sino simplemente de lo que la vida espera de nosotros" (íb.). Cuando sus compañeros recibieron el castigo de padecer hambre y todos yacían desesperados en su pabellón, él les habló del futuro y aseguró que no estaba dispuesto a perder el valor. Nadie podría saber qué le depararía la hora siguiente. Y él habló del pasado, de lo que todos los que estaban allí habían vivido; nadie puede robarnos la riqueza de lo vivido: "No sólo lo que hemos vivido, también lo que hemos hecho, lo grandioso que hemos pensado, y lo que hemos padecido… todo esto lo hemos incorporado a la realidad, para siempre. Y aunque pueda ser pasado, precisamente en el pasado está asegurada toda la eternidad" (íb.). Frankl habló además de la posibilidad de colmar la vida con sentido a cada instante. El hombre dispone para sí mismo del poder de obstinación de la mente que lo habilita a darle un sentido a su vida incluso en la situación de sufrimiento y muerte sin esperanza. Frankl está convencido "de que este sentido de existencia infinito lleva implícito sufrir y morir, pena y muerte" (íb.). El sufrimiento no tiene un sentido en sí mismo. Es tarea del hombre arrancarle un sentido al sufrimiento. Cada cual debe dar por sí mismo una respuesta sensata al sufrimiento que lo acomete desde afuera. Frankl presta especial atención aquí a la respuesta de la religión, pero él como psicólogo se abstiene de la interpretación religiosa. En cambio alienta a todos a arranca por sí mismos un sentido a su sufrimiento. Cuando acompaña a los hombres en su sufrimiento se le ocurren respuestas similares a las de la fe cristiana. Él afirma que debemos ofrendar el sufrimiento a los demás, debemos soportarlo por los demás, debemos resistir el sufrimiento con dignidad y amor, y convertirnos así en un modelo de esperanza y confianza para los otros. Y habla de que con el sufrimiento soportado con dignidad creamos un valor que permanece para siempre.

Frankl trata de ayudar a sus pacientes a descubrir un sentido en su enfermedad a través de su principio logoterapéutico. Éste es un punto de partida importante. Su discípulo Willi Butollo advierte, sin embargo, que la búsqueda de sentido no debe transformarse en una "maza de sentido", una obligación "de encontrar o hallar ahora en lo posible rápidamente un nuevo sentido" (Butollo, pág. 6). Cuando alguien se encuentra en una situación traumática, corresponde, en primer lugar, soportar junto a él el sinsentido, "permitir por un tiempo adecuado la incomprensibilidad" (íb., pág. 6). Si reconozco pacientemente lo incomprensible, podré tratar cuidadosamente de buscar un sentido junto con el paciente, el que él pueda darle a este aparente sinsentido. Es necesario mucho tiempo hasta que el sufriente sea capaz de arrancarle un sentido al sufrimiento que lo ha golpeado. Y, sin embargo, es un camino importante para transformar el sufrimiento. Continuará sufriendo, continuará doliéndole. Pero en él crecerá una fuerza que le permitirá soportarlo. Sin un sentido, esta fuerza interior se perdería.

La disputa de los místicos con el dolor

Desde que el hombre puede pensar, se enfrenta al sufrimiento. Aquel que sufre no se consolará por la mera referencia a otros que también sufren. La ira, la pena, la decepción y el dolor no se diluyen de esa manera. Y, sin embargo, puede ayudarnos observar las experiencias que otras personas sufrientes ya han vivido. La historia de la espiritualidad cristiana fue siempre una escuela del sufrimiento. Que una espiritualidad sea firme o no depende, en última instancia, de su actitud frente al sufrimiento. Si reprime el sufrimiento y coloca a los hombres sólo en un estado de ánimo eufórico, las personas afectadas por el sufrimiento sólo tendrán más ira. Si ofrece soluciones baratas, no comprende la seriedad del sufrimiento.

En la historia de la espiritualidad cristiana el sufrimiento siempre fue considerado un desafío, un camino para interpretar y profundizar la relación con Dios y con uno mismo. A continuación presento algunas respuestas de la tradición espiritual a la pregunta del sufrimiento, pero siempre privilegiando la experiencia que se encuentra detrás. Para algunos lectores estas experiencias pueden no coincidir con las propias, o resultarle ajenas. Pero quizá también encuentren en las respuestas de la tradición una ayuda para tratar el propio sufrimiento de manera tal que la fe se profundice y sea posible una nueva visión de Dios y de la propia vida.

El sufrimiento como desafío espiritual

En la tradición cristiana, el sufrimiento siempre fue considerado como un desafío espiritual. El franciscano estaunidense Richard Rohr opina que "la espiritualidad en su mejor sentido se trata de lo que hacemos con nuestro sufrimiento" (Rohr). Para Rohr, la espiritualidad posee una fuerza transformadora. Él entiende precisamente la cruz de Jesús como "transformadora" de nuestro sufrimiento. También la tradición cristiana lo ha entendido así. La palabra de Jesús acerca de llevar la cruz se convirtió para muchos cristianos en la clave para saber cómo manejarse con el sufrimiento: "El que no carga con su propia cruz y me sigue, no puede ser discípulo mío" (Lc 14, 27). El sufrimiento que recae sobre un hombre es tomado por éste como la cruz que Dios le puso. Siempre estuvo claro que uno no puede elegir la cruz. Nos atraviesa a nosotros y a nuestra vida. Nos ocurre. Nos encuentra en nuestro camino. Aceptar la cruz era ya antiguamente para muchos cristianos el camino para no quebrarse en el sufrimiento, sino para confiar en que precisamente de ese modo seguían a Cristo y se internaban cada vez más profundamente en esta convicción. La palabra de Jesús dio valor a muchos para aceptar la cruz sin dejar que el sufrimiento les robara la alegría de vivir. Un ejemplo especial de tal actitud es para mí el de mi tía, que en la Segunda Guerra Mundial y en la época de la posguerra experimentó enorme sufrimiento. Su esposo había caído en la guerra. Ella debió continuar a cargo de la granja y estaba expuesta a muchas hostilidades. Más tarde perdió dos hijos como consecuencia de enfermedades. Con todo, ella nunca perdió su alegría de vivir. Cuando cierta vez le pregunté cómo podía soportar todo eso, opinó que simplemente cada uno debe llevar su cruz. Es decir, la cruz le había permitido decir sí en vez de luchar contra su destino, y le había permitido confiar en que la conduciría a la resurrección hacia una nueva vida.

Un aspecto sustancial de la mística cristiana consiste en la mística de la cruz. Para ella es importante acercarse a Dios a través de la cruz de Cristo y ser uno con Cristo. La mística de la cruz significa, entonces, una característica bien definida de la mística de Cristo. San Bernardo de Claraval fue uno de sus primeros representantes. Para él, Cristo crucificado es el contenido de la auténtica filosofía. Cristo representa para él no sólo el modelo del sufrimiento. Al seguir a Cristo y asemejarse a Él en el sufrimiento, experimenta con Él una comunión interior de destinos. Esto se evidencia en la famosa visión en la que Cristo suelta sus brazos de las vigas de la cruz y abraza a Bernardo que está frente a él, de rodillas.

San Francisco avanza tanto en su comunión de destinos con el Crucificado que lleva las marcas de las heridas de Jesús en su propio cuerpo. En particular las mujeres han desarrollado en la mística alemana la mística de la cruz. Para ellas, ser seguidor de la cruz significa entender su propio sufrimiento como fractura con el mundo y aniquilar en ello la voluntad propia. El sufrimiento purifica al hombre y lo asemeja cada vez más a Cristo. Cuando las mujeres sufren junto con el Jesús sufriente, son transformadas en Aquel a quien aman. Para el místico alemán Enrique Seuse, el sufrimiento que el hombre acepta de Dios es símbolo de elección divina, del mismo modo que la Pasión de Jesús es símbolo de la dedicación indulgente de Dios al hombre (Hinrichter, pág. 737).

También los místicos alemanes Meister Eckhart y Juan Tauler han tratado una y otra vez el tema del sufrimiento. Meister Eckhart desarrolló su mística del sufrimiento principalmente en su tratado *Von Abgeschiedenheit* (Del desasimiento). A primera vista su respuesta parece aproximarse a la filosofía estoica, que quería ser insensible al sufrimiento. Sin embargo, Eckhart considera que el desasimiento torna al hombre capaz de estar "inmóvil frente a todo amor y sufrimiento que ocurran, frente a honores, deshonras y envilecimiento, como un montaña de plomo... frente a un viento débil" (Haas, pág. 135). Esto demuestra que Eckhart no se refiere a la insensibilidad estoica, sino que habla del placer y la alegría en Dios. Para aquel que encuentra su placer en Dios, el sufrimiento pierde su amenaza. Eckhart acuña la expresión "sufrimiento sin sufrimiento". El hombre puede experimentarlo cuando sufre por voluntad de Dios. Pero sólo lo logra porque el propio Dios se ha hecho hombre en Jesucristo para sufrir con nosotros. La solidaridad del sufrimiento de Dios con nosotros, los seres humanos, en Jesucristo nos permite soportar el "sufrimiento sin sufrimiento": "todo lo que el buen hombre sufre por voluntad de Dios, lo sufre en Dios y Dios está con él sufriendo en su sufrimiento. Si mi sufrimiento está en Dios y Dios sufre conmigo, ¿cómo puede entonces ser una pena el sufrimiento, si el sufrimiento pierde la pena y mi pena está en Dios y mi pena es Dios? Verdaderamente, así como Dios es la verdad, y cada vez que encuentre la verdad encontraré a mi Dios, que es la Verdad, encontraré también, ni más ni menos, cuando encuentro sufrimiento puro por voluntad de Dios y en Dios, mi sufrimiento como Dios" (DW 5, pág. 53, 20-54, 6, Haas, pág. 403). Son palabras valientes. En el sufrimiento encuentro, en última instancia, a Dios, que ha padecido por mí en Jesús. De esta manera, el sufrimiento se convierte en el sitio de la experiencia más intensa de Dios y en un camino para ser uno con Dios. Para Eckhart, el sufrimiento es "el animal que con mayor rapidez los lleva a esta perfección, ya que nadie goza de más dulzura eterna que aquellos que están con Cristo en la mayor amargura. No existe nada más amargo que el sufrimiento, y no existe nada más dulce que haber padecido; nada mutila tanto el cuerpo frente a la gente como el sufrimiento. En cambio nada adorna más el alma frente a Dios que haber padecido" (Haas). Por lo tanto, Eckhart conoce la hiel y la amargura del sufrimiento. No las pasa por alto. Pero al mismo tiempo se convierten para él en una profunda experiencia de Dios. Y en Dios el hombre saborea en medio del sufrimiento la dulzura de Dios.

El desarrollo teológico de Meister Eckhart fue traducido por Juan Tauler a la vida concreta. Para Tauler, el sufrimiento se convierte en una forma de ser elegido por Dios. Consiste en "el desprendimiento de toda adhesión a lo que es propio de la criatura" (Haas). Tauler considera la denudación de Jesús previa a la crucifixión, cuando le quitan su vestimenta, como la imagen del "despojamiento" (*"entwerden"*) del hombre en su verdadera esencia humana. El cristiano debe liberarse de todo apego al mundo para poder experimentar la comunión con Jesucristo. La aniquilación de sí mismo configura, en última instancia, la condición para que nuestro sufrimiento pueda convertirse en un "sufrimiento con Dios". "Sufrimiento con Dios" es "una libertad interior, una detención y espera a la acción divina en el interior" (Haas). El sufrimiento, la miseria que el hombre recibe desde afuera, son un signo del nacimiento de Dios en el fondo del alma. El hombre debe permitirse surfrir el sufrimiento que Dios le envía, "para que Dios ingrese en el hombre" (íb.). De esta manera, el sufrimiento es para Tauler un símbolo de la presencia de Dios en el hombre. El místico alemán puede hablar de que el sufrimiento del hombre con Dios es bienaventuranza.

Tales palabras resultarán inútiles a algunas personas, como para ayudarlas a manejar su sufrimiento. Pero vale la pena preguntarse qué experiencias han conducido Meister Eckhart y a Juan Tauler a estas manifestaciones. Yo percibo en sus pensamientos que ellos no hablan desde una distancia teórica, sino desde su vivencia personal del sufrimiento y la miseria. Si confronto sus exposiciones con mi experiencia personal de sufrimiento, la traduciría para mí de la siguiente manera: No debo luchar contra el sufrimiento o protegerme frente al sufrimiento. Tampoco debo presionarme para soportar con osadía el sufrimiento o retener mis lágrimas. Las penas de mi sufrimiento son los dolores del nacimiento de Dios en el fondo de mi alma. El sufrimiento quiere conducirme, entonces, a la profundidad, al fondo de mi alma. Allí Dios quiere nacer en mí. El sufrimiento me duele en todo momento. Y a veces apenas lo soporto. Pero es como los dolores de parto, que también son insoportables para una mujer. La mujer los resiste porque sabe que con ellos dará a luz a su hijo. El sufrimiento puede aceptarse entonces como una referencia a que el propio Dios actúa en mí y desea formar parte de mi alma. Esta visión transforma mi sufrimiento. No debo repelerlo. A través de él tiene lugar aquello que anhelo en lo más profundo: que Dios nazca en mí.

De la mística carmelita debe mencionarse principalmente a san Juan de la Cruz, quien expresó que buscaba y amaba a Cristo ante todo como el crucificado. Su anhelo apuntaba a que la imagen del Cristo crucificado se incorporara cada vez más en él. Para ello debía renunciar absolutamente a sí mismo. Como sucesora de san Juan de la Cruz, ha reflexionado sobre el misterio de la Cruz la filósofa y carmelita judía Edith Stein. Su última obra, que no pudo concluir, trataba acerca de la ciencia de la cruz. Su muerte violenta en Auschwitz dio respuesta a las ideas que desarrolló en ese libro. Ella pudo soportar la muerte sin sentido en la cámara de gas con serenidad y libertad interior porque sabía que el absoluto desprendimiento no es lo definitivo, sino un requisito para que Cristo se incorpore en ella y deje en ella totalmente su marca.

En la tradición cristiana existen asimismo otros caminos para abordar el sufrimiento. Los Padres de la Iglesia primitiva apelaron a la filosofía estoica para describir un tratamiento espiritual del sufrimiento. Juan Crisóstomo tradujo a la espiritualidad cristiana la tesis estoica "Nadie puede lastimarte salvo tú mismo". En sus sermones la analiza y trata de demostrarla mediante numerosos ejemplos bíblicos. Para él no son los hombres los que nos lastiman, ni tampoco las cosas (como las catástrofes naturales). Son *las dogmata*, las ideas que nos hacemos de las cosas y de los hombres, las que nos hieren. Él toma como fundamento para su tesis la parábola de Jesús de la casa sobre la roca. Opina que aunque las olas del rechazo emocional rodeen nuestra casa o las tormentas de los hombres hostiles soplen alrededor de la casa, ésta no se caerá si está construida sobre la roca. La roca para Juan Crisóstomo es Cristo. Si he edificado la casa de mi vida sobre el terreno firme de Cristo, no se derrumbará. Que se derrumbe o no depende de las ideas que yo me haga de la vida. Si lo más importante para mí son el éxito, mis bienes, mi salud, mi reputación exterior, entonces habré construido mi casa sobre arena. La casa construida sobre la arena de la aprobación de los demás o la arena de mis ilusiones de una vida libre de sufrimientos se derrumbará ni bien las masas de agua choquen contra ella.

Para muchos que acaban de sufrir una pena terrible, esta tesis estoica que Juan Crisóstomo interpreta cristianamente suena sarcástica. Ellos dicen: "No provoqué mi propio sufrimiento si mi hijo muere en un accidente de tránsito o si padezco una enfermedad incurable". Es inmensamente doloroso enfrentarse con un sufrimiento de esta naturaleza. Y, sin embargo, la imagen de la casa sobre roca puede ayudarme a que en mi sufrimiento no pierda el suelo bajo mis pies y mi casa de vida no se caiga como una casa de naipes. Gran parte de lo que constituye los cimientos de mi casa me es quitado en el sufrimiento. Ya no me sostiene. Mi satisfacción, mi felicidad, mi salud, mi éxito, la familia intacta, todo esto ya no es un terreno absolutamente firme. La casa de mi vida necesita un terreno más profundo que sólo Cristo puede darme. A pesar de todo el dolor que no debemos pasar por alto, la respuesta estoica al tratamiento del sufrimiento nos remite hacia una superficie más profunda que al menos relativiza el sufrimiento. El sufrimiento duele. Quiebra nuestros conceptos de vida. Pero no destruye nuestra casa de vida. Ni siquiera la muerte derribará nuestra casa de vida; únicamente la transformará para que ingresemos a la vivienda celestial que Cristo tiene preparada para nosotros.

La tesis estoica tiene en sí misma algo fascinante, pero también tiene sus límites. Seguramente existen muchas cosas que me lastiman porque tengo una idea equivocada de determinadas personas. Si espero de una persona reconocimiento y dedicación, su conducta indiferente me lastimará. Pero en realidad, en ese momento no es la persona la que me lastima sino la expectativa no cumplida que yo deposité en esta persona.

Juan también ofrece el ejemplo de la bolsa de dinero perdida. Si no le otorgo mucho valor al dinero, su pérdida no me afectará especialmente. La idea que yo me he hecho del dinero me lleva a que la pérdida me duela. ¿Se aplica lo mismo en caso de catástrofes naturales? Juan diría: Si yo muriera en un terremoto o en un tsunami, mi casa de vida no se destruirá por ello. Sobrevivirá a la muerte. En los informes sobre el tsunami de diciembre de 2004 lo que más nos afectó fue especialmente el dolor por la pérdida de seres queridos. Si una familia perdió a todos sus hijos sentirá un dolor que nadie podrá negar. Tampoco la mencionada tesis estoica puede aliviar este dolor. Por lo tanto, no debemos aplicar en forma absoluta la respuesta estoica a la cuestión del sufrimiento, ya que funciona más bien en el nivel intelectual. Pero nosotros, los seres humanos, no tenemos sólo una razón sino también sentimientos y un cuerpo. Ambos son afectados por las enfermedades y las catástrofes, de manera que los argumentos de la razón rebotan contra el dolor. Y sólo cuando los sentimientos se hayan apaciguado, la respuesta que nos da Juan Crisóstomo sobre el trasfondo de la filosofía estoica con la imagen de la casa sobre roca podrá mostrarnos la dirección en que podemos responder de manera absolutamente personal al desafío del sufrimiento.

De acuerdo con la filosofía estoica, no podemos escapar del destino. Y su intención para con nosotros no siempre es buena. La solución de la filosofía consiste en retraerse al santuario interior, al "*autos*". Allí el hombre es invulnerable. Esto nos parece insensible. Y por cierto, también existe el riesgo de que si nos dejamos guiar exclusivamente por esta filosofía nos cerremos a los sentimientos y afectos. Sin embargo, algo de verdad tiene esta tesis. No existe garantía alguna para nuestra salud, para la salud de nuestros hijos, para una vida invulnerable y libre de riesgos. La filosofía estoica no pregunta de dónde proviene el sufrimiento y por qué nos alcanza. Simplemente lo acepta como un hecho. Y le muestra al hombre caminos para desenvolverse con él.

La devoción cristiana ha adoptado estos caminos, pero ha interpretado su sentido de otra manera, con las dos imágenes de la casa sobre la roca y del santuario interior. Si me defino a partir de Dios y construyo mi casa sobre las rocas, los sucesos exteriores ya no tendrán para mí un significado central. Mi casa se encuentra sobre la roca que es Cristo, y no puede ser destruida ni por la propia muerte ni por la muerte de seres queridos ni por la pérdida de mis bienes ni por la enfermedad y el sufrimiento psíquico. La imagen del santuario se hace visible en la palabra de Jesús de que ante todo debe importarnos el reino de Dios (Lc 12, 31). El reino de Dios está en nosotros. Es el espacio interior en el que Dios vive en nosotros y reina en nosotros. Allí el sufrimiento ha perdido su fuerza destructora. Lucas adoptó incluso la expresión estoica "*autos*" que se refiere al santuario interior, en su relato de la resurrección. En la resurrección Jesús se ha convertido totalmente "*autos*" y quiere conducirnos a que seamos totalmente nosotros mismos. Allí donde soy "*autos*", allí no podrá oprimirme el sufrimiento, allí ni siquiera podrá destruirme la muerte.

¿Cómo puede Dios permitir el sufrimiento?

Impugnación de la imagen de Dios a causa del sufrimiento

El sufrimiento es siempre un desafío a mi imagen de Dios. La pregunta de la teodicea está marcada por una imagen de Dios que debe justificarse frente al juicio de la razón humana. En este caso, Dios se coloca frente al tribunal de la justicia humana que se convierte en juez. Nuestra imagen de Dios está marcada por la imagen del Dios misericordioso y todopoderoso. Si Dios es misericordioso deberá evitar el sufrimiento. Y si es todopoderoso también puede hacerlo. ¿Por qué no lo hace entonces?

Todos los motivos que presentemos a favor o en contra de Dios parten del hecho de que sabemos cómo debe ser Dios. Pero cada sufrimiento cuestiona nuestra imagen de Dios. No es una prueba en contra de Dios, pero nuestro desafío consiste en armonizar la miseria del hombre con nuestra imagen de Dios. Si vemos sufrir a un niño inocente nos quedan atragantadas nuestras expresiones del "Dios amado" que guía todo hacia el bien. Entonces no nos resulta tan fácil hablar de Dios y de su misericordia. Se nos aparece el Dios incomprensible. No se trata pues de aunar al sufrimiento con Dios, sino de preguntarse en vista del sufrimiento: ¿Quién es Dios? ¿He concebido hasta ahora ideas demasiado simples de Él? En todo momento debo tomar con seriedad la realidad de este mundo colmado de sufrimiento. ¿Cómo puedo entonces creer en Dios? ¿Y en qué Dios creo?

Naturalmente, en todo momento se aplica lo expresado en la Primera Epístola de Juan: "Dios es amor; el que permanece en el amor permanece en Dios" (1 Juan 4, 16). ¿Pero cómo entender esto? En última instancia se trata de entregarse a este amor incomprensible de Dios. Es tan distinto de lo que había imaginado. Por esta razón, sólo me parece creíble la respuesta de Karl Rahner: El sufrimiento es y permanece incomprensible. Y aceptar el sufrimiento significa responder afirmativamente al Dios incomprensible. Renuncio a todas las especulaciones teológicas de reunir la imagen de Dios con el sufrimiento. Me entrego a la incomprensibilidad del sufrimiento y con ello al misterio incomprensible de Dios.

Johann Baptist Metz explica que en la pregunta de la teodicea no se trata de justificar a Dios en vista del sufrimiento, sino mucho más de la cuestión: "cómo hablar de Dios en vista de la historia de sufrimiento del mundo" (Metz). La teología cristiana —según Metz— gira no tanto en torno de la pregunta "¿Quién es Dios?" como en torno de la pregunta que dirigimos a gritos a Dios: ¿Dónde estás? ¿Dónde está mi Dios?" (íb.). El cristianismo es desde su esencia "*memoria passionis*" = "memoria del sufrimiento". Por esta razón, no debemos hablar de Dios olvidando las muchas personas que sufren. El sufrimiento nos exhorta a apelar a Dios para que se revele como Dios, como aquel que nos salva y redime, como aquel que en medio del sufrimiento nos muestra un camino hacia la vida. Pero nuestro hablar de Dios debe continuar siendo "sensible a la teodicea", según manifiesta Metz. De lo contrario, corremos el riesgo de abusar de Dios como mero tranquilizante del hombre en su sufrimiento. Para Metz, el sufrimiento no es un argumento contra Dios, sino un desafío continuo para hablar bien de Dios y despedirse de la proyección de los sueños de un mundo invulnerable en Dios.

Tal imagen de Dios que distorsionamos frente al tribunal de la razón humana es muy típica de Occidente. En África los hombres tienen menos problemas con el sufrimiento. Ellos confían en que Dios sabe para qué es bueno todo eso. Dios guiará todo. Dios proveerá. Los africanos ni siquiera vislumbran la idea de dudar de Dios a causa del sufrimiento. A pesar de todo, confían en Dios. Él guía la vida de manera diferente a cómo nosotros imaginamos. Pero la guiará para bien. Una tradición similar también existe en Occidente. Frente a todo lo incomprensible que nos ocurre, ésta responde: "*Deus providebit*". Dios proveerá. Dios verá más allá. Él nos mostrará un camino. Esta confianza renuncia a fijar a Dios en determinada imagen. El sufrimiento quiebra los parámetros humanos, quita el poder a los motivos de la razón que hablan a favor o en contra de Dios. Es una invitación a entregarse a Dios. A pesar de todo lo que como hombre no comprendo, me aferro a este Dios incomprensible. Y confío en que Dios sabe para qué es bueno todo. Nos puede parecer resignación o entrega al destino inevitable, pero quien ha visto cómo africanos profundamente devotos se aferran a Dios frente al sufrimiento y no se lo reprochan a Él, no podrá descartarlo simplemente como devoción pasiva. De esta espiritualidad emana algo que nos haría bien a nosotros, los occidentales.

¿Cómo mantener la fe?

Expresar el sufrimiento a través de la oración

El sufrimiento también sacude mi fe. No puedo continuar creyendo del mismo modo que antes. El sufrimiento cuestiona mi fe. ¿Aposté a falsas promesas de Dios? ¿Mi fe es una mera ilusión? ¿Se quiebra ni bien el sufrimiento la pone a prueba? Al conversar con personas que sufren escucho dos voces: la voz de aquellos que han profundizado su fe por la experiencia del sufrimiento, y la voz de aquellos que han perdido su fe porque el sufrimiento fue y es intolerable. Estas personas antes disfrutaban al concurrir a la iglesia, pero ahora ya no pueden hacerlo. Las palabras de la Biblia pasan de largo junto a ellas; son demasiado bonitas para ser verdad. Y algunos sermones enfurecen a los afectados porque fingen un mundo perfecto frente a los ingenuos asistentes a la Iglesia, un mundo que para ellos ya no existe.

Los devotos del Antiguo Testamento salvaron su fe a través de la experiencia del sufrimiento, al llevar su dolor y su ira, su insatisfacción y su queja a Dios por medio de la oración. Ellos no enmudecieron en su pena sino que la expresaron a gritos frente a Dios. Evidentemente, esto les ayudó a mantenerse en Dios a pesar de todo el sufrimiento, dejando que se manifestaran todos los sentimientos que surgían en ellos. Ellos no se privaron de acusar a Dios, de presentarle su decepción y de exhortarlo a mostrarse finalmente como el Dios benevolente que se preocupa por ellos y los rescata del mal.

Para los piadosos de Israel significó un gran desafío aceptar que la religiosidad no era una garantía para protegerse del mal y la desgracia. En los salmos una y otra vez aparece la pregunta de por qué les va tan bien a los impíos y tan mal a los devotos. El salmista reza: "¿Por qué, oh Dios, esos continuos rechazos, y esa ira contra el rebaño de tu redil? (Salmo 74, 1). Luego, el que reza le recuerda a Dios que desde tiempos remotos ha realizado acciones de salvación sobre la tierra. ¿Por qué Dios retiró ahora su mano de manera que triunfan los enemigos? Y luego implora a Dios: "¡Álzate, oh Dios, a defender tu causa, acuérdate del necio que te provoca todo el día! No olvides el griterio de tus adversarios, el clamor de tus agresores que crece sin cesar!" (Salmo 74, 22 y sig.).

En el Salmo 73 un devoto reflexiona acerca de por qué les va tan bien a los impíos. "Yo sentía envidia de los malos, viendo qué bien les va a los impíos: Para ellos no existe el sufrimiento, su cuerpo está gordo y lleno de salud" (Salmo 73, 3 y sig.). Y luego se mira a sí mismo: "¿De qué me sirve tener un corazón puro y mantener mis manos inocentes, cuando todos los días me apalean y no hay mañana en que no me castiguen?" (Salmo 73, 13 y sig.). El que reza se atormenta con la idea de su propio sufrimiento y lo bien que les va a los impíos. Pero luego ingresa al santuario de Dios y medita sobre el destino del hombre. Allí entiende que: "Pues los pones en un lugar resbaladizo y luego los empujas al abismo" (Salmo 73, 18). Y reconoce que en su acusación fue necio y sin razón. Ahora reconoce que "Me guías conforme a tus designios y me llevas de la mano tras de ti. ¿A quién tengo en los cielos sino a ti? Y fuera de ti nada más quiero en la tierra" (Salmo 73, 24 y sig.). En la oración se transforma su visión del sufrimiento. Y reconoce que finalmente siempre está con Dios y que Dios no lo abandona, ni siquiera cuando a veces le va mal.

Una y otra vez las personas en sus cartas me escriben que les va muy mal. Cuentan que ya no tienen fuerzas. Hay distintos motivos: a unos los oprimen las deudas, otros sufren que sus hijos transiten otros caminos o que estén enfermos, deprimidos, o se aparten del camino correcto. También muchos aseguran que rezan continuamente. Pero a pesar de las oraciones, las cosas no mejoran. A veces las personas me preguntan si acaso rezan mal o si están haciendo algo incorrectamente, porque nada cambia. Esto muestra una comprensión muy particular de la oración. Ellas piensan que sólo necesitan pedirle a Dios, pedirle una y otra vez, y que Él ya los ayudará. Y si no los ayuda, dudan de Dios o de sus oraciones. Piensan que tienen muy poca confianza y buscan entonces otro sostén.

Seguramente, es bueno pedirles también a otros su oración. Pero a veces —me parece— tal oración está turbada por los pensamientos de eficacia, por la actitud: "Cuanto más rece, tanto antes me deberá ayudar Dios." A veces la gente no observa verdaderamente los problemas. Le pide a Dios que todo lo resuelva. Pero no se esfuerza en observar abiertamente y abordar los problemas. Observar los problemas sería cuestionar el propio concepto de vida. Y esto llevaría a la humildad. Sólo ayudará la oración en la cual ofrezco sin miramientos mi verdad a Dios. Pero no siempre sentimos que Dios saca todas las piedras del camino. Quizá sólo me dé la fuerza para soportar. En algún momento surgirá en mí una solución o las circunstancias exteriores se modificarán y de pronto se verá un camino por el cual pueda continuar.

En el Evangelio según San Lucas Jesús demostró cómo la oración continua puede transformar nuestra situación. Este

Evangelio muestra a Jesús, en numerosas ocasiones como el gran orante. Frente a situaciones importantes de su vida, rezó. En su pasión, su oración llegó a la perfección.

En la parábola del juez impío y la viuda asediada por su adversario, Jesús nos exhorta a orar siempre y no ceder en ello (cf. Lc 18, 1-8). La viuda no tiene oportunidad. El adversario la hiere continuamente. Ella lucha para sí y acude una y otra vez al juez. El juez no tiene ganas de ayudarla. No se preocupa por la necesidad de los hombres. Pero dado que la viuda es obstinada y acude con insistencia al juez, éste, de pronto, tiene miedo de que la mujer lo golpee. En este diálogo del juez consigo mismo, pleno de humor, en el cual el poderoso juez siente temor frente a la viuda débil, Jesús nos invita a no abandonar la oración: "¿Acaso Dios no hará justicia a sus elegidos si claman a Él día y noche, mientras Él deja que esperen? Yo les aseguro que les hará justicia, y lo hará pronto" (Lc 18, 7 y sig.). Aun cuando nuestra oración parezca no tener oportunidad alguna frente a los poderes de este mundo, cambiará nuestra desventura si no cejamos.

¿Pero esta parábola responde verdaderamente a nuestra experiencia? ¿No hemos orado durante días y noches enteras sin recibir ayuda? No debemos entender de manera meramente exterior al derecho que Dios nos proporciona en la oración, como si Dios aniquilara al adversario y nos liberara de todo los que nos oprime, que nos quitara las deudas y sanara al hijo enfermo. Algunas transformaciones exteriores pueden ocurrir también por la oración.

A veces existen milagros que adjudicamos a la oración. Pero si no ocurre ningún milagro no debemos buscar la culpa en nosotros, como si hubiéramos orado con poca confianza, ya que en tal reproche se evidencia que, en realidad, tenemos una pretensión respecto a la intervención de Dios. Y Dios debería intervenir tal como lo imaginamos. Entonces nuestra oración se infecta con ideas de eficacia que, en última instancia, la falsean. Jesús habla del derecho a la vida. Al orar, ya percibo en el fondo este derecho, ya que en la oración tomo contacto con mi ámbito interior en el cual vive Dios en mí. El adversario no tiene acceso a este ámbito. Allí nadie puede lastimarme. Tampoco el sufrimiento tiene acceso a él. Allí estoy a salvo e íntegro.

En otro momento Jesús lucha con Dios en el Monte de los Olivos, para que lo libere de tomar su cáliz. Pero al mismo tiempo se entrega a la voluntad de su Padre. Un ángel desciende del cielo y lo fortalece. El ángel no le quita el sufrimiento pero le da nuevas fuerzas, de manera tal que ahora puede enfrentar su sufrimiento sin miramientos. Como respuesta a la aparición del ángel reza: "Entró en agonía y oraba con mayor insistencia. Su sudor se convirtió en gotas de sangre que caían hasta el suelo" (Lc 22, 44). La oración de Jesús era una lucha. Lo ponía en contacto con el temor que sentía en lo más profundo de su corazón frente a los dolores de la pasión y frente a la cruel muerte en la cruz. Pero cuando Jesús admitió en la oración su dolor y su temor, su desmayo y su desesperación, su actitud cambió. Se dirigió sereno hacia la pasión. Y en la cruz, cuando los dolores se volvieron insoportables, y judíos y romanos se burlaban de él, la oración le dio la posibilidad de distanciarse interiormente del poder del sufrimiento que lo oprimía. Incluso oró por sus burladores y asesinos: "Padre, perdónalos, porque no saben lo que hacen" (Lc 23, 4). En la oración se dirigió al Padre. Y de este modo, aquellos que se burlaron de Él y le provocaron dolores, perdieron su poder. Jesús no se dejó determinar por el sufrimiento sino por la confianza en Dios que mira hacia Él. Murió rezando con las palabras del Salmo 31, la oración nocturna de los judíos religiosos: "Padre, en tus manos encomiendo mi espíritu" (Lc 23, 46).

En el Evangelio según san Lucas la oración le quita al poder su crueldad. Incluso sobre la muerte de Jesús reina una atmósfera de confianza y amor. Por esto el capitán reconoce que Jesús fue verdaderamente un hombre justo, que había cumplido el anhelo de los griegos del hombre verdaderamente justo, tal como Platón lo describiera en su escrito "Politeia".

En la oración, en la lucha con Dios, al comienzo también puede haber una queja o acusación. Los salmos nos invitan a reñir una y otra vez con Dios y hacerle reproches por no habernos prestado atención. La acusación tiene derecho a nacer en nosotros. El mismo Jesús nos ha dado un ejemplo de esta acusación cuando grita en la cruz: "Dios mío, ¿por qué me has abandonado?" (Mc 15, 34). Es decir, hasta el mismo Jesús se sintió abandonado por Dios en la cruz. Pero no desesperó con este sentimiento, sino que lo expresó a Dios. Al dirigirse a Dios en su desamparo, también se transforma su desesperación en la intuición de una confianza que tampoco puede ser destruida por la muerte. Podemos suponer que Jesús no oró únicamente este versículo en la cruz, sino todo el Salmo 22. En este salmo manifiesta al Padre la miseria que experimenta en la cruz: "Las palabras que lanzo no me salvan" (Salmo 22, 2). Se siente como un gusano despreciado por el pueblo. Los huesos se le caen a pedazos. "Mi corazón se ha vuelto como cera, dentro mis entrañas se derriten" (Salmo 22, 15). Luego se dirige nuevamente a Dios con el ruego: "Sálvame de la boca del león y de los toros salvajes" (Salmo 22, 22). El salmo desemboca finalmente en las palabras plenas de confianza: "Porque no ha despreciado ni ha desdeñado al pobre en su miseria, no le ha vuelto la cara y a sus imploraciones le hizo caso" (Salmo 22, 25). A través del lamento y la acusación, a través de la manifestación de su desesperación, a través de la descripción de su necesidad y abandono, Jesús ora en la cruz internándose en la confianza de que Dios no lo ha abandonado, de que, incluso en esta necesidad extrema en la que Él lucha contra la muerte en la cruz y finalmente muere bajo un tormento extremo, no está abandonado sino que muere en los brazos de Dios. El mismo Dios transformará esta muerte.

Para muchos que han perdido un ser querido en manos de la muerte, la oración de Jesús en la cruz se ha convertido en un modelo consolador. Cuando los padres pierden a un hijo en un accidente de tránsito o debido a una enfermedad maligna, no pueden entregarse de inmediato a la voluntad de Dios, entonces apenas pueden decir con Job: "El Señor lo dio, el Señor lo ha quitado; bendito sea el nombre del Señor" (Job 1, 21). La oración comienza con una acusación: "¿Por qué nos has quitado al niño? ¿Por qué debía suceder esto? ¿No podrías haber oído nuestras oraciones? ¿No podrías haber protegido al niño? ¿Por qué tu ángel de la guarda no lo protegió de la muerte? Estos lamentos pueden y deben expresarse frente a Dios. Algunas personas tienen miedo de acusar a Dios en la oración. Piensan que no deben cuestionar a Dios. Pero, precisamente, los salmos nos invitan a presentarle a Dios una y otra vez nuestra queja. No obstante, el salmista no se queda en la queja. Se queja hasta que sus palabras se transforman en confianza, en la certeza de que Dios lo escucha.

El libro de Job nos ofrece el mejor ejemplo de la queja y finalmente de la renuncia a la voluntad de Dios. Job comienza a quejarse por la pérdida de sus bienes, de sus hijos y de su salud con las palabras: "¡Maldito sea el día en que nací y la noche que dijo: Ha sido concebido un hombre! [...] ¿Por qué no morí en el seno y no nací ya muerto?" (Job 3, 3.11). Los amigos tratan de persuadir al desesperado. Lo alaban por haber fortalecido tantas manos debilitadas. Pero ahora que la pena lo agobia, reacciona turbado. Debe aceptar la voluntad de Dios. Dios no haría algo injusto. Cuando uno recibe un sufrimiento, siempre hay una razón que lo culpa. Pero Job se rebela frente a estos reproches. Él no ha cargado ninguna culpa sobre sí. Siempre se esforzó por satisfacer la voluntad de Dios. Por esta razón, no puede entregarse al sufrimiento. Le reprocha a Dios porque: "Le quita la vida tanto al bueno como al malo. Si una calamidad trae repentinamente la muerte, se ríe de la desesperación de los inocentes" (Job 9, 22 y sig.). Y una y otra vez se queja del sufrimiento que recayó sobre él: "Mi alma está hastiada de la vida, por lo que daré libre curso a mi queja, hablaré de mi amargura" (Job 10, 1). Los amigos no pueden convencerlo; Job persevera en su queja acerca de su miseria y en su acusación a Dios.

Después de todas las preguntas y respuestas, el mismo Dios responde a Job. Pero no da una respuesta satisfactoria a la pregunta acerca del por qué el hombre debe soportar tanto sufrimiento. Dios le muestra la grandeza y belleza de la creación, pero también la fuerza de la tormenta y de la tempestad, la fuerza del hipopótamo y la velocidad del avestruz. Job observa los milagros de la creación y cae asombrado frente a Dios: "Hablé sin inteligencia de cosas que no conocía, de cosas extraordinarias, superiores a mí. [...] Por esto, retiro mis palabras y hago penitencia sobre el polvo y la ceniza" (Job 42, 3.6). Por último, Dios elogia a Job y se vuelve contra los amigos, ya que éstos no hablaron correctamente de él. Y cambia el destino de Job. Duplica sus bienes y le concede nuevamente siete hijos y tres hijas.

No todo sufrimiento termina con un giro del destino como el de Job. A veces el sufrimiento nos persigue hasta la muerte. El libro de Job nos da el valor para dar rienda suelta a nuestros sentimientos frente a Dios, para expresar toda la decepción y amargura, la desesperación y desesperanza en la confianza de que Dios nos escucha. Al ofrecer a Dios todo lo que moviliza nuestro corazón, podemos confiar que en la profundidad de nuestra alma se produzca un cambio, que de pronto podamos ver nuevamente lo bueno que Dios nos ha regalado en nuestra vida. Para Job fue, en primer lugar, el milagro de la creación que pudo volver a admirar. A pesar de nuestro sufrimiento, la creación permanece en su belleza y fortaleza. Si nos volvemos a ella, nuestro sufrimiento se relativiza. Sin embargo, con frecuencia escuché de gente afligida que antes amaba profundamente la naturaleza, que antes al pasear por el bosque volvía renovada, que ahora ya nada la alegra. Ya no ve la belleza de la naturaleza. Ya no siente su fuerza vivificante. El camino que Dios le mostró a Job no resulta cuando todavía estamos en medio del sufrimiento. Job debió gritar hasta quedar afónico antes de caer frente a Dios en vista de su creación y poder adorarlo. Del mismo modo, también nosotros debemos tomarnos nuestro tiempo. Pero podemos y debemos tener la esperanza de que la queja se transformará en danza y el luto en alegría, y que junto al salmista podemos decir: "Tú has cambiado mi duelo en una danza, me quitaste el luto y me ceñiste de alegría. Así mi corazón te cantará sin callarse jamás" (Salmo 30, 12 y sig.).

Muchos cristianos transformaron su sufrimiento a través de la oración. Durante los últimos veinte años de su vida, mi madre tenía una capacidad visual del tres por ciento. Por tal razón, ya no podía realizar muchas cosas que deseaba y le eran importantes. Pero no se lamentó por ello. Empleó su limitación para rezar cada día dos rosarios por sus hijos y nietos. La oración por los demás la ayudó a no centrarse en su impedimento, sino a hacerlo útil. Y ofrendó su sufrimiento por sus hijos y nietos. En la actualidad, el término "ofrendar" nos cuesta mucho. Pero para ella fue un camino a través del cual vencer su sufrimiento y tornarlo fructífero. Ella intuía que su sufrimiento no era sin sentido. La oración le había ayudado a aceptarlo como parte de su cruz, que deseaba llevar de buena voluntad. Y percibió que en el sufrimiento moraba también una fuerza positiva. Así, para ella el sacrificio era un camino para darle un sentido a su sufrimiento y considerarlo como algo que ella podía dar a los demás. El sufrimiento no la quebró, sino que la abrió a los hombres. Y le dio su dignidad. Esto la distinguió. Ella podía transmitirlo a los que la rodeaban. No se sentía desamparada y abandonada, sino que reconocía que, justamente allí donde ya no podía hacer nada hacia fuera, podía dar lo más valioso: el amor con el que ofrendaba su sufrimiento. Utilizó su discapacidad para rezar por los otros.

En Job vemos que Dios cambió su destino precisamente "cuando había intercedido por sus amigos" (Job 42, 10). El destino se transformará para aquel que en su sufrimiento abandona la fijación a la propia necesidad y utiliza su fragilidad para rezar por otros. Le da sentido a su sufrimiento. Y su vida de pronto parece distinta. Se torna útil para los demás.

¿Por qué esta prueba? El sufrimiento como camino de maduración

En la tradición, el sufrimiento se entiende a menudo como prueba y desafío para madurar. Karl Rahner opina que esto seguramente en parte es cierto. El sufrimiento es para nosotros una llamada: "Vive de manera que el sufrimiento que te fue impuesto a ti y a tu entorno no destruya tu actitud última hacia Dios y la lleve a la desesperación, sino que te perfeccione, aunque este proceso de maduración condujera a través de todos los abismos del morir y la muerte con Jesús" (Rahner, pág. 460). Sin embargo, Rahner tampoco considera esta respuesta suficiente, ya que existe "sufrimiento que a pesar de la mejor buena voluntad, para soportarlo humana y cristianamente, actúa de manera destructora y sencillamente excede al hombre, doblega su carácter y daña [...], que no puede integrarse a un proceso de maduración y consagración personal" (íb., pág. 460 y sig.).

Aquel que ha sido alcanzado por el sufrimiento reacciona con frecuencia de modo alérgico frente a la idea de maduración a través del sufrimiento. Y, a pesar de ello, en el sufrimiento puede existir la oportunidad de crecer interiormente. Sabiendo que el sufrimiento puede, aunque no necesariamente, apoyar un camino de maduración, quisiera exponer algunas ideas tal como el terapeuta suizo C. G. Jung ha evaluado el sufrimiento a partir de la psicología: Para C. G. Jung fue una cuestión importante la manera en que el hombre se desenvolvía frente al sufrimiento. Una y otra vez analiza la cuestión del sufrimiento humano. Él considera que la enseñanza cristiana del sentido y el valor del sufrimiento tiene "una importancia terapéutica extraordinaria, y que es sin duda alguna mucho más adecuada para el hombre occidental que el fatalismo islámico" (Jung, Tomo 16, pág. 87 y sig.). Jung escribe, a su vez, en una carta a un filósofo indio: "Creo que el sufrimiento es un componente esencial de la vida humana, sin el cual nunca haríamos nada. Siempre tratamos de escapar al sufrimiento. Lo hacemos de millones de maneras, pero nunca resulta por completo. Por esta razón, llegué a la conclusión de que en lo posible debemos intentar hallar al menos un camino que permita al hombre soportar el sufrimiento inevitable, que es el destino de toda existencia humana. Si al menos alguien logra soportar el sufrimiento, ya habrá cumplido una tarea prácticamente sobrehumana. Esto podrá garantizarle cierto grado de felicidad o satisfacción" (Jung, Cartas I, pág. 299).

Durante una conversación con el teólogo evangélico Walter Uhsadel, C. G. Jung opinó que la cuestión fundamental para una vida plena es la pregunta acerca de cómo se maneja el hombre con relación al sufrimiento. Y él compara la manera en que Jesús y Buda se comportaron frente al sufrimiento: "Cristo reconoce en el sufrimiento un valor positivo, y como ser que sufre es más humano y más real que Buda. Buda se negó al sufrimiento, pero con ello también a la alegría. Estaba escindido de los sentimientos y las emociones, y, en consecuencia, no era verdaderamente humano. En los Evangelios se describe a Cristo de modo tal que no puede ser entendido de otro modo que como hombre de Dios, si bien nunca ha dejado de ser hombre, mientras que Buda ya durante su vida se elevó por encima de la humanidad" (A. Jaffe, Erinnerungen [Recuerdos], pág. 283 Obs.). A continuación, Jung comenta que el hombre oriental busca "deshacerse del sufrimiento, quitándose el sufrimiento. El hombre occidental trata de reprimir su sufrimiento a través de drogas. Pero el sufrimiento debe superarse, y sólo se lo supera al soportarlo. Sólo Él nos lo enseña" (Jung, Cartas I, pág. 300). Jung remitió así al crucificado, de quien tenía un cuadro en su estudio. No sirve disimular el sufrimiento con drogas, ya sea con alcohol o con trabajo. Para Jung, el único camino consistía en aceptar el sufrimiento y soportarlo. La religiosidad puede ser de gran ayuda. Esto se aplica principalmente en relación a los sufrimientos del alma. Jung está convencido "de que una auténtica religiosidad es el mejor medicamento para todos los sufrimientos del alma". (Jung, Cartas I, pág. 157).

Quien elude el sufrimiento buscará sufrimientos supletorios. Para Jung, esto indica una neurosis. Algunas neurosis son un intento de evitar los sufrimientos necesariamente ligados a mi existencia finita. Esto significa que no deseo aceptar mi limitación, sino que prefiero huir a la neurosis en la que puedo conservar mi grandiosa imagen ideal. No deseo enfrentar mi culpa y prefiero aceptar una neurosis obsesiva, en la que, inconscientemente, giro permanentemente en torno a mi culpa que desearía limpiar o controlar. No estoy dispuesto a observar y aceptar mi temor. Pero luego me atormentan los ataques de pánico y me obligan a reconciliarme con mi angustia. "De tal modo, muchas veces se oculta detrás de la neurosis todo el sufrimiento natural y necesario que uno no está dispuesto a tolerar. El ejemplo más claro es el de los síntomas histéricos, los cuales durante el proceso de cura son reemplazados por el correspondiente dolor del alma que uno quería evitar" (Jung, Tomo 16, pág. 87).

Jung sostiene que el conflicto entre el consciente y el inconsciente, entre la propia imagen y la propia sombra, necesariamente corresponde al hombre. Y este conflicto siempre significa un sufrimiento. "Los conflictos no se resuelven en ningún caso mediante trucos hábiles o mentiras inteligentes, sino soportándolos. Por así decir, deben ser caldeados hasta que la tensión sea insoportable; entonces los polos opuestos se funden lentamente. Es una especie de procedimiento de alquimia, pero no una elección y decisión racionales. El sufrimiento es la parte imprescindible. Cualquier solución real será hallada únicamente a través de un sufrimiento intenso" (Jung, Cartas I, pág. 297).

Para Jung, el sufrimiento posee un sentido. Y sólo si vemos el sentido dentro de él, podremos soportarlo. El sentido del sufrimiento consiste para Jung en vincular los opuestos dentro del hombre y elevar al hombre a un estado de conciencia superior: "La salud de la conciencia superior es la respuesta satisfactoria al sufrimiento, que de lo contrario quedaría sin sentido y por ende, intolerable" (Jung, Cartas III, pág. 38).

Una ayuda para reconciliarse con el sufrimiento y aceptarlo como un paso necesario para la autorrealización, radica para Jung, en el símbolo de la cruz. Él está convencido de que la cruz nos muestra que nuestro camino de la encarnación es, finalmente, un modo de llevar la cruz. Debemos reconciliarnos con nuestra contradicción interior que muchas veces padecemos. Para Jung, la cruz es un símbolo que puede transformar el sufrimiento en el hombre hacia una conciencia superior. Si el hombre se abre a Dios movido por aquello que le sucede y lo atraviesa desde afuera como sufrimiento, su vida se transformará gracias a la cruz. Entonces experimentará la cruz, del mismo modo que Jesús, como un camino al despertar, a la resurrección. La cruz es así la condición para que nuestros ojos se abran y podamos mirar hacia el misterio de la resurrección, donde no existen los opuestos entre la vida y la muerte, entre el sufrimiento y la felicidad.

El psicólogo Jung ve, finalmente, en la religión la verdadera escuela en la que aprendemos el trato correcto del sufrimiento. A la persona que sufre no le ayuda lo que piensa por sí misma, "sino únicamente la verdad sobrehumana revelada que lo libera de su estado de sufrimiento" (Jung, Tomo 11, pág. 372): Por esta razón, a Jung no le interesa un manejo meramente psicológico del sufrimiento, sino uno religioso. La religión —según aclara Jung— no elimina el sufrimiento pero lo amortigua y nos muestra un camino para soportarlo, dado que el objetivo del sufrimiento es un nuevo estado. Y el cristianismo denomina a este estado resurrección, nueva vida divina que nos colmará por completo.

Yo, personalmente, no quisiera ir tan lejos y afirmar que el sufrimiento es necesario para que el ser humano madure. Pero la experiencia muestra que principalmente las personas que han sufrido mucho, también son interiormente maduras. Naturalmente, siempre es una cuestión de medida. Existen personas que se quiebran frente al sufrimiento. Y hay otras que por naturaleza tienen una actitud de vida positiva. También han madurado sin demasiado sufrimiento, pero han enfrentado su propia verdad. Sin el propio encuentro doloroso no existe maduración alguna. Con frecuencia, el sufrimiento es el lugar en el que nos encontramos sin miramientos con nosotros mismos. Entonces se rompen las ilusiones que nos hemos hecho de la vida. Habíamos creído que podíamos planificar nuestra vida, que podríamos manejarla al vivir saludablemente, al alimentarnos en forma equilibrada y realizando los valores cristianos en nuestra actividad cotidiana. Pero de pronto nos toca un sufrimiento inmenso. Todo lo que hemos construido se derrumba. Y después de la destrucción aparece nuestra propia necesidad, nuestra fragilidad y, al mismo tiempo, nuestro anhelo del verdadero ser, de la imagen primitiva de Dios en nosotros.

Cuando nos alcanza el sufrimiento no podemos eliminarlo psicológicamente mediante alguna terapia. El sufrimiento nos señala el camino hacia el interior, hacia el verdadero sí mismo, hacia el santuario interior. El sufrimiento no es, entonces, un mero camino de maduración humana sino también un modo de profundización espiritual.

El hecho de que el sufrimiento pueda convertirse en un camino de maduración personal no es todavía un fundamento para la existencia del sufrimiento. Sólo es una respuesta que puedo brindar frente al sufrimiento provocado por motivos externos. Conozco a mucha gente mayor que ha madurado a través del sufrimiento que irradia una profunda sabiduría e indulgencia. La palabra en alemán "*weise*" (sabio) proviene de "*wissen*" (saber) y ésta a su vez del latín "*vidi*": he visto. Estas personas han visto mucho dolor y a través de él se volvieron sabias. Y son indulgentes. La indulgencia tiene su origen en el verbo "mahlen" (moler). Ellas fueron molidas en la rueda del infortunio. Se han dejado moler. Ahora son blandas. Ya no existe ninguna dureza en el juicio, sino comprensión e indulgencia. Quisiera citar tan sólo dos ejemplos de personas que maduraron a partir de la experiencia del sufrimiento y que son transparentes para otra realidad, en última instancia, permeables a Jesucristo:

El Padre Sales, hermano de la Orden, vivió durante cuatro años en el campo de concentración de Dachau. Lo que vivió allí lo describió poco tiempo después de su liberación en el libro "*Dachau - eine Welt ohne Gott*" (Dachau: un mundo sin Dios). Posteriormente condujo durante mucho tiempo nuestra escuela conventual como director y se dedicó a esta tarea con total empeño. Cuando entregó la dirección de la escuela, continuó enseñando con gran dedicación y mansedumbre en las clases inferiores. En la vejez no quería hablar más de la época en el campo de concentración. Cuando una de las carmelitas de Dachau le preguntó por sus experiencias allí, se negó a responderle. Eso pasó hace tiempo. En los últimos años antes de su muerte escribió lo que sabía sobre la historia de la abadía reconstruida en 1913. Todavía puedo recordar muy bien cuando a los ochenta y cinco años se me acercó con su bastón a la administración para leerme todo lo que había escrito de los últimos años. Irradiaba mansedumbre. Había madurado a través del sufrimiento y de la vida.

Mi tía ingresó como maestra a la abadía benedictina de Herstelle. Ella leía mucho y siempre tenía algo para contar. En la vejez, de pronto sintió que los pensamientos, y luego también el habla, le fallaban. Para ella no fue fácil aceptarlo, dado que siempre había sido importante comunicarse a través de la palabra. Pero cuando no pudo hablar más, su rostro irradiaba tanta paz que fortalecía a las hermanas que la cuidaban. El sufrimiento no la había amargado, sino que hizo brillar en ella una paz que superaba el plano psicológico de la mera comprensión. Allí brillaba algo del hombre nuevo del que habla san Pablo.

No podemos decir que el sufrimiento es necesario para llegar a ser una persona madura y sabia. Pero muchas veces experimentamos que principalmente las personas sometidas a sufrimientos como las de estos ejemplos son aquellas que en la vejez irradian sabiduría y mansedumbre.

El tratamiento de experiencias concretas de dolor

Sufrimiento provocado por las personas

Cuando está absolutamente en claro que las personas han provocado determinado sufrimiento, observo en mí y en los afectados distintas reacciones. Frente a los atentados del 11 de septiembre, por ejemplo, personalmente reaccioné con ira. Y me encontré experimentando sentimientos de venganza, deseo de borrar del mapa a los terroristas. Pensé que nunca más debería suceder algo así. Deberíamos tomar todas las medidas para que los terroristas no tengan oportunidad de provocar tanto mal. En mí surgieron ideas para evitarlo. Partían del postulado previo de que el sufrimiento provocado por el hombre no debiera existir y, que por esta razón simplemente, debiera hacerse imposible.

Cierta vez una madre me contó que su hijo había sido asesinado. Ella conocía al asesino, pero no tenía pruebas. Todas las sospechas no eran suficientes para incriminar al antiguo amigo escurridizo del hijo. Ella padecía enormemente cuando se encontraba con el culpable. Y sentía dentro de sí mucho odio e ira. Simplemente era incapaz de perdonarlo.

Puedo entender bien los sentimientos y las reacciones. Asocio a ese hombre todo el sufrimiento que ha provocado. Toda la ira, el desmayo, el dolor, los sentimientos de venganza se concentran en esa persona. Y su encuentro con el presunto asesino recordaba, una y otra vez, a la mujer la pérdida de su hijo, le recordaba el dolor y la congoja. Es más fácil perdonar a Dios que a un hombre concreto a quien encuentro continuamente. No me hago tantas ideas en relación a Dios como con respecto al asesino que, por motivos infames, como egoísmo, sed de venganza, envidia o simple crueldad, ha matado a un hombre. El dolor por el sufrimiento se mezcla con la ira hacia aquel que lo provocó y con el reproche permanente: "¿Por qué lo has hecho? ¿Por qué me has provocado este sufrimiento? ¿Cómo puedes ser tan cruel e inhumano?"

A partir de la experiencia de esta madre, puedo comprender cómo reaccionan actualmente los judíos frente al Holocausto. Lo asocian a personas concretas, a los sádicos alemanes, a soldados de la SS, a políticos enfermos y perversos que dominaban al pueblo alemán. Entiendo perfectamente que allí aparezcan sentimientos de venganza, que no sea posible simplemente olvidar. Los hombres del pueblo judío vuelven a encontrar una y otra vez a conciudadanos alemanes. Si bien desde su razón saben que los jóvenes alemanes no tienen la culpa de que sus padres y abuelos hayan actuado tan cruelmente, no pueden mirarlos sin el recuerdo de su pasado penoso. La experiencia de la Shoá marca su visión de los alemanes. Ni bien estas personas se cruzan con un alemán, vuelve a su mente el tremendo sufrimiento que esta nación produjo a su pueblo. Con razón reaccionan sensiblemente cuando los neonazis proclaman actualmente consignas similares. El sufrimiento los torna sensibles frente al poder de las palabras cargadas de odio y frente a un lenguaje que desprecia a los hombres. Todo infortunio comienza con el lenguaje. Si un lenguaje brutal en la sociedad permanece sin ser refutado podrá volver a generar la misma desgracia ocurrida durante el Tercer Reich.

¿Pero cómo proceder frente al sufrimiento provocado por los hombres? Por cierto, deberemos distinguir entre el sufrimiento que hemos padecido y las personas que lo han provocado. Mi sufrimiento, por ejemplo, por la pérdida de un hijo o una hija es lo suficientemente difícil en sí mismo. Pero debo enfrentarlo. Es tiempo de despedirme, de atravesar la tristeza y soportar el dolor hasta que lentamente se transforme. A pesar de todo, no debo mezclar constantemente el sufrimiento con el sentimiento que me inspira el asesino o el causante del sufrimiento. De lo contrario, no avanzaré ni un solo paso. Al comienzo puede ser útil prohibirse pensar en el asesino, porque la ira y el odio son demasiado intensos. Recién poco a poco puedo intentar perdonar al causante del sufrimiento. Perdonar significa en este caso un acto de liberación para uno mismo. Uno se libera de la energía negativa que emana del otro. Ya no se le permite dominar el interior. Perdonar no significa necesariamente encontrarse amablemente con el otro. Quizá sea necesaria toda una vida para poder volver a encontrarse naturalmente con el otro. Pero el perdón, ante todo, hace bien a uno mismo. Uno deja el hecho en el otro, lo aleja de uno mismo para que ya no lo determine. Pero es necesaria mucha paciencia hasta que la voluntad del perdón conduzca al verdadero perdón, hasta que el corazón atormentado se haya calmado frente al otro. La herida se abrirá una y otra vez cuando encuentre al otro.

Con mi propia reacción frente al acto terrorista del 11 de septiembre percibí cuán importante es el mandamiento de Jesús de amar al enemigo. Me ayudó, principalmente, la exhortación de Jesús, tal como nos la transmitió Lucas: "Bendigan a los que los maldicen; rueguen por los que los maltraten" (Lc 6, 28). Esto no significa que deba presentarle al otro sentimientos de amor, pero si lo bendigo, si le pido a Dios que provoque en el otro aquello que verdaderamente le dé paz a su alma, poco a poco también lo miraré con otros ojos. Mis sentimientos se transformarán. No me prohíbo los sentimientos negativos; trato de bendecir al otro. Bendecir significa, ante todo, pronunciar buenas palabras de él y hacia él, palabras que le desean bien al otro. Y bendecir significa enviar el amor de Dios que bendice hacia esa persona para que colme su corazón y lo libere de sus acciones y pensamientos destructivos.

La muerte de seres queridos

En los cursos para víctimas y familiares de difuntos, percibo siempre que la muerte de un ser querido deja un sufrimiento profundo. Es especialmente doloroso cuando el esposo pierde su vida en una caída de la montaña, cuando la esposa y madre de pequeños fallece de cáncer o cuando el hijo o la hija son arrancados violentamente de la vida por un accidente de tránsito. También la muerte de los padres de avanzada edad duele. Si bien desde la razón entendemos que eran lo suficientemente ancianos como para morir, su muerte también exige el duelo.

El duelo forma parte de la despedida de los seres queridos. Y el duelo siempre produce un desequilibrio interior. Pero cuando un ser querido es arrancado repentinamente de la vida sin poder despedirse de él, el duelo puede arrojarnos a abismos profundos. Sencillamente no podemos concebirlo. Y de inmediato surgen preguntas:

¿Por qué debió suceder esto?

¿Por qué Dios lo permitió?

Yo había bendecido a mi hijo antes de que partiera. Mi hijo tenía tanta alegría de vivir, tenía tantos planes, era un ser humano valioso. ¿Por qué debió partir mientras que muchos jóvenes sólo se ocupan de sí mismos y sin embargo continúan vivos?

¿Por qué se suicidó mi hijo mayor, él que siempre fue tan correcto, que se esforzó por su formación y regularmente asistía a la iglesia?

No existió ningún indicio de que algún día podría terminar así. ¿Qué pasé por alto? ¿Qué hice mal?

La pérdida del compañero

Un esposo se me acercó porque no podía aceptar a la idea de que su esposa hubiera debido fallecer de cáncer tan joven. Los niños aún la necesitaban tanto. Él reñía con Dios por haberle quitado a su esposa que era una madre ejemplar. Ella había estado comprometida con la iglesia. Siempre estaba dispuesta para los demás. ¿Por qué debió morir precisamente ella?

Ignoro la respuesta a tales preguntas. Debo soportar sus quejas y acusaciones frente a Dios, aceptar la incomprensibilidad de Dios sin dar interpretaciones prematuras que sólo lastimarían a los familiares del difunto. No obstante, después de un tiempo razonable puedo preguntar qué mensaje tiene preparado la mujer para él. ¿Qué respuesta espera o ansía ella de su esposo para su vida? ¿Qué quería transmitir su esposa con su vida? ¿Qué nutría su vida? ¿Cómo puede continuar el hombre aquello que la mujer vivió de manera tan ejemplar? ¿O cómo respetar la herencia de la esposa? Seguramente, la mujer que ahora está en paz con Dios, no desea que el hombre deje de vivir plenamente. Él debería vivir su propia vida, desarrollar aquello que quizá hasta ahora no logró. Una vez superado el duelo, él debería construir una nueva relación con su esposa y comprenderla como una acompañante interior que lo introduce a nuevos ámbitos de la vida, como un buen ángel que lo acompaña y le hace referencia a cosas que, de lo contrario, pasaría por alto.

Cuando mueren los hijos: Padres huérfanos

Como acompañante espiritual una y otra vez dicté cursos para padres que han quedado huérfanos. Cuando los padres me cuentan acerca de la muerte de sus hijos a causa de una enfermedad prolongada y dolorosa, debido a un accidente de tránsito, por ahogarse, por caerse de la montaña o incluso por suicidio, sólo puedo escuchar en silencio. No puedo agregar ninguna palabra. En principio debo soportarlo y aceptar la muerte de gente tan joven en toda su absurdidad. Cualquier palabra queda retenida en mi boca. Tengo miedo de que todo lo que diga sea inapropiado y sólo lastime aún más a los padres que sufren. Por ello me abstengo de cualquier interpretación y me resisto a ver un sentido en esta muerte absurda. Frases como: "Algún sentido tendrá, más tarde reconocerá el sentido de esta muerte" me parecerían un sarcasmo o un consuelo falso. Como acompañante debo soportar el duelo y el dolor de los padres. Muchas veces siento yo mismo el peso interior. Pero este peso me conduce también hacia la profundidad. De pronto, muchas cosas por las que me preocupo en la vida cotidiana dejan de parecerme importantes. Los parámetros se ajustan: ¿Qué es realmente lo esencial en mi vida?

Los padres huérfanos me cuentan con frecuencia que se sienten como leprosos. Tienen la impresión de que la gente los evita como a los leprosos. No tienen derecho a mostrar su tristeza. Es desagradable para sus amigos. Algunos incluso cruzan a la vereda de enfrente para no encontrarlos. A menudo escuchan palabras como: "Esto ya pasó hace tiempo. La vida continúa. Entrégate al presente." Pero tales palabras no ayudan, sino que producen el efecto contrario. Los padres sufren, se sienten incomprendidos. Tienen la sensación de que con su pena no tienen un espacio en este mundo. Se les reprocha amargar el ambiente. Por esta razón, resulta tan importante sencillamente estar con las personas que sufren y dejar que hablen. Cuando mi madre, de más de ochenta años, iba cada año de casa en casa para recaudar para Cáritas, siempre se tomaba mucho tiempo precisamente para hablar con las personas que habían perdido a un ser querido. Ella dejaba que ellos contaran y les mostraba su compasión sin decirles proverbios religiosos, sin tratar de interpretar lo sucedido. Simplemente estaba cerca y esto les hacía bien.

La raíz de la palabra *"Trauern"*, llorar la muerte de alguien, significa opacarse, perder la fuerza, hundirse en el suelo. El que llora la muerte de alguien tiene la sensación de que le quitan el suelo debajo de los pies. Pierde su estabilidad y anhela consuelo. Consuelo ("con-suelo") significa firmeza. El que llora la muerte de alguien necesita una persona que pueda estar junto a él, que soporte su dolor, que no retroceda temerosa cuando le confía su desesperación. Si alguien se queda junto al familiar del difunto y atraviesa junto a él su duelo, poco a poco podrá volver a hallar suelo firme. Pero el consolador no debe "consolarlo", en el sentido de exhortarlo a levantarse, animarlo con palabras. El que llora la muerte de alguien no necesita consuelos sino una persona que soporte estar junto a él y le proporcione otra vez estabilidad. Necesita un "consolator", un consolador que esté con él en su soledad y permanezca allí junto a él.

Con frecuencia los padres ven sacudida su fe por la pérdida de un hijo. Si bien continúan concurriendo a la iglesia, muchos sermones y cantos los tornan más bien agresivos. Cada vez que se habla muy ligeramente del "benevolente Dios" que siempre tiene una buena intención para con nosotros, surge en ellos la contradicción. No es posible hablar de Dios con tanta facilidad. Dios se ha convertido para ellos en incomprensible. Por la muerte de un hijo a veces encuentran una fe más profunda, pero a menudo queda una reserva interior. No quisieran volver a ser lastimados por Dios como lo fueron en la pérdida que experimentaron. Algunos se sienten incomprendidos por el sacerdote y les cuesta asistir a misa. Las palabras del sermón les parecen huecas.

La muerte de un hijo también genera grandes problemas entre sus hermanos. Unos se deprimen, otros se resisten a hablar del hermano muerto o la hermana fallecida. No quieren saber nada más de él. Evitan, incluso, visitar la tumba. Un matrimonio que había perdido a su hija de tres años me contó, por ejemplo, que sus otros hijos ya no querían oír hablar del ángel de la guarda, dado que éste no había cuidado a su hermana. Y reaccionan con agresividad frente a cualquier palabra de Dios. Dios les quitó a su hermana. Es difícil para los padres soportar estas agresiones. Sólo pueden confiar en que esta resistencia frente a imágenes falsas de Dios en algún momento formen en el corazón de los hijos la imagen de un Dios que los acompaña en su dolor y en su ira.

Durante el acompañamiento sólo puedo permitir que los padres que han perdido a un hijo cuenten de él, y les pregunto cómo era, qué irradiaba. Los padres me muestran con frecuencia fotos del hijo difunto. Al observarlas medito, trato de expresar la vitalidad que observo en su brillo interior. Y luego les pregunto a los padres: "¿Cuál es el mensaje que este hijo les dirige con su vida y su muerte?" Es habitual que no puedan expresar con palabras este mensaje. Pero la mera pregunta deja vislumbrar algo de lo que el hijo quiso expresar con su vida, de lo que anheló, de la huella que dejó grabada en este mundo. El hijo difunto llevó a la eternidad algo de los padres. Todo lo compartido con el hijo, el amor, la alegría, la cercanía, el dolor, todo eso lo ha llevado a Dios. Una parte de ellos está junto a Dios en el hijo. De tal modo, el hijo les recuerda que con sus vidas ya van más allá de este mundo, que ya llegan a la eternidad. A veces, los padres me cuentan que el hijo se les aparece en sueños, que les muestra que está bien.

Por ejemplo un padre, que es muy crítico y realista, me contó cómo su hija, atropellada por un camión a los tres años, una y otra vez le había dado señales. El día de su funeral floreció en el jardín su rosa predilecta, en una época en la que normalmente nunca hubiera florecido. Cuando él está sentado en su cuarto, muchas veces tiene la sensación de que ella está presente. Él se pregunta, naturalmente, si todo esto es imaginación. Sólo puede decirle que, como acompañante espiritual, ya he escuchado muchos relatos similares, y que por mi parte los considero absolutamente reales. Por cierto, la pregunta queda abierta con respecto a cómo interpretar y entender esto. Siempre se trata de experiencias individuales del alma, pero ellas muestran el vínculo interior con el hijo difunto.

Una madre cuyo hijo se había suicidado, cuenta que unos cinco años después trabajaba en el jardín cuando de pronto destelló una flor de una manera inusual. Para la madre esto fue una señal del hijo difunto. A partir de ese instante ella pudo aceptar su muerte. Tenía la sensación de que ahora él la acompañaba desde el cielo. Había surgido un vínculo interior.

Otra madre había mandado a su hijo de diez años a la calle para llevar de paseo al perro ya que éste no había salido en todo el día. El hijo no quería pero la madre insistió. El niño nunca regresó. Cuando los padres preocupados lo buscaron, lo encontraron colgado de una rama en un bosque cercano. El perro vigilaba. Es comprensible que la madre no pudiera liberarse de sus sentimientos de culpa. La última palabra que le había dicho a su hijo no había sido amable.

Tampoco aquí debo consolar en forma apresurada. Es doloroso tener que despedirse así del propio hijo. Y no tiene sentido atenuar los sentimientos de culpa. Están ahí. Entonces siempre aconsejo: "Trate de no culparse y tampoco de disculparse. Si se culpa, se destrozará a sí misma. Si se disculpa, deberá buscar siempre nuevas razones por las que usted no tiene la culpa de la muerte de su hijo. Simplemente presente a Dios las circunstancias de esta muerte. Colóquelas en su misericordia. Dios la aceptará incondicionalmente tal como fue. Dios la ha perdonado hace tiempo. Pero ahora depende de usted perdonarse a sí misma. Imagínese que su hijo está ahora junto a Dios. Él está en paz. No le reprocha nada a usted." Luego le aconsejo tomar contacto con el hijo muerto. Le recomiendo preguntarle qué desea decirle él a ella. A veces puede ayudar escribirle una carta en la que le expresa aquello que no le ha dicho en vida pero siempre quiso decirle. A continuación debería escribir una carta del hijo a sí misma. Algunos pueden objetar que no es posible, que allí sólo se escribirían los propios pensamientos. Naturalmente, no existe garantía alguna de que no mezclemos nuestros propios pensamientos en esta carta. Pero he comprobado que las personas en situaciones similares, de pronto escriben palabras que provienen de una profundidad mayor. Y, generalmente, se trata de palabras sanadoras, reconciliadoras y animosas que transforman la relación con el difunto.

Otro ejemplo es el de un padre que perdió a su hija cuando ésta tenía tres años y medio, y creía que era injusto que la niña no pudiera vivir. Para otra madre el mayor dolor era que debía continuar viviendo sin su hija. Su vida había perdido el sentido. Ella ya no podía ocuparse de su niña, de que creciera y floreciera. El dolor y la protesta contra la injusticia son comprensibles. Y no existe una respuesta rápida frente a ello. Pero ayuda imaginar que la pequeña hija grabó una profunda huella en este mundo a pesar de sus tres años. Ella grabó una huella en el corazón de sus padres. Esta huella continuará.

Algunos padres me cuentan que el hijo difunto tenía una modo muy particular, que era precoz, totalmente transparente, con conocimientos que no se esperan de un niño. Casi podría designárselo como santo. Aquí la tarea consistiría en conservar en el corazón esta huella única y clara, luminosa y cálida, santa y sanadora del niño, y grabar tanto más clara y firmemente en este mundo la propia huella de vida como respuesta al misterio del niño fallecido prematuramente. Entonces, la vida del niño, por breve que haya sido, habrá tenido un sentido. Continuará deslumbrando al mundo a través de nosotros.

A veces, muchos años después del duelo y el dolor, los padres y madres cuentan que la muerte de su hijo transformó su vida y la guió en una nueva dirección. Una madre que había perdido cinco hijos antes de que nacieran, opinaba que con cada niño se había abierto en ella una puerta que le había permitido algo nuevo. Sus hijos la acompañaban desde el cielo. Ella tenía la sensación de que sus difuntos hijos, a quienes nunca había visto, le habían dado la capacidad de comprender y acompañar de manera muy especial a todos los niños. De este modo, la profunda herida que ella había experimentado por la pérdida de sus hijos, se había transformado en una perla, en un don valioso, que ella aceptó con agradecimiento y que ejerció para el bienestar de muchos niños. O un padre que perdió a su hija depresiva a causa de suicidio se comprometió con los padres de niños que padecían depresión.

Generalmente lleva mucho tiempo para que la pena se transforme en una huella de vida fructífera. Nadie debe presionarse. Pero a veces es útil creer en una meta de nuestro proceso de duelo, si confiamos que nuestra pena se transformará en vitalidad y fertilidad.

En un curso para padres huérfanos hice que los participantes extrajeran una carta de ángeles con la confianza de que su difunto hijo les envía un ángel que necesitan en ese preciso momento. Su hijo se convirtió para ellos en un ángel. Al extraer la carta de ángeles los padres tomaron conciencia del mensaje y la tarea que su hijo les encomienda ahora: Una madre extrajo el ángel del cuidado y entendió que su difunta hija la exhortaba así a cuidar de sus dos hermanos, que quedaron relegados. Otra madre extrajo el ángel del retiro. Éste le permitió tomarse una y otra vez tiempos de retiro frente a las expectativas de su entorno, tiempos en los que también podía dar cabida a su tristeza. Otra mujer experimentó que su hijo, fallecido en un accidente de tránsito, le enviaba siempre mensajes; por ejemplo, mientras ella leía un libro, de pronto, se topaba con palabras que sonaban como salidas de los labios de su hijo. Y en el tránsito sentía una y otra vez que su hijo la cuidaba. Sintió a su hijo como un ángel que la protegía frente a aquello que lo arrancó a él mismo de la vida. Entonces, a pesar de todo el dolor y toda la pena, podía percibir una cercanía especial que la remitía al Dios cercano que le daba una nueva profundidad a su vida.

Atravesar el duelo. Aprender a transformar los remordimientos y la pena

Ante la muerte de todo ser querido surgen remordimientos. ¿Por qué no le dije cuánto lo amaba? ¿Por qué hablamos tan poco sobre lo esencial, sobre lo que verdaderamente nos sostiene? ¿Por qué no quería reconocer que estaba gravemente enfermo? ¿Por qué no aproveché la oportunidad para despedirme conscientemente de él?

También aquí es importante ofrecer, simplemente, los remordimientos a Dios y luego desprenderse de ellos, es decir, enterrarlos y no escarbar continuamente en ellos. Ahora deberíamos tomar contacto con el difunto, pedirle que nos acompañe desde el cielo, que interceda por nosotros ante Dios, para que nuestra vida sea plena. Y podemos preguntarle: "¿Qué deseas de mí? ¿Qué debo hacer? ¿Cómo debo vivir?"

El difunto seguramente no desea que nos torturemos con remordimientos. Quisiera que nos dedicáramos a la vida y, con su recuerdo presente, realizaramos todo el potencial que está en nosotros. Para ello puede ayudarnos el mensaje que él quiso darnos con su vida y su muerte.

No podemos evitar la pena que nos produce la pérdida de un ser querido. Debemos soportarla. Y, con frecuencia, es necesario un proceso de duelo prolongado para transformar el sufrimiento. Pero también aquí es determinante la actitud que tengamos frente a este sufrimiento. No debemos pasar por alto el duelo, sin embargo debemos saber que ese duelo tiene un fin. La falta de un ser querido siempre nos producirá dolor. Pero nuestra tarea consiste en desarrollar una nueva relación para con ellos. Ellos nos acompañarán desde el cielo y serán nuestros intercesores ante Dios. Y con su vida y su muerte tienen un mensaje importante para nosotros. Dios nos dio a estas personas. Lo que hemos vivido con ellas en el pasado no puede volverse atrás. Las experiencias en común nos pertenecen y debemos estar agradecidos por ellas. Y los difuntos nos dirigen ahora un mensaje. Nos invitan a reflexionar acerca del misterio de nuestra vida que se encamina hacia la muerte. Deberíamos preguntarnos cómo podemos responder a los que ya partieron con nuestra vida. Aquí se trata de dar a su vida nuestra respuesta absolutamente personal y, simultáneamente, vivir nuestra propia vida que Dios ha concebido para nosotros.

No tenemos nuestras raíces únicamente en los difuntos sino también, en última instancia, en Dios. En nosotros mismos está el fundamento sobre el cual debemos construir nuestra casa de vida. El dolor por la pérdida de seres queridos con quienes ya no podemos hablar, a quienes ya no podemos abrazar, cuya voz ya no podemos oír, va a volver a irrumpir repetida e inesperadamente. Esto trata de recordarnos que también nuestra vida tiene un fin, que cada día podríamos morir. Y los que ya finalizaron su paso por la tierra desean invitarnos a vivir ahora nuestra propia vida y a grabar en este mundo nuestra huella de vida, una huella que —de modo similar a la de los que ya murieron— perdurará por siempre.

Cuando el cuerpo o el alma enferman

Sufrimientos físicos

Una mujer se alimentó siempre saludablemente. Practicó deportes y atendió especialmente su salud. Estaba feliz con su familia y tenía la sensación de tener todo en orden. De pronto toda su estructura de vida se derrumbó. Al principio sólo estaba insegura porque siempre se sentía débil. La trataron considerando distintas enfermedades, pero nada resultó. Entonces determinaron que padecía de una rara enfermedad autoinmune. Involuntariamente se preguntó: "¿Por qué precisamente yo? Siempre viví tan saludablemente. No sólo presté atención a la alimentación sino en general a una vida sana, a una buena convivencia." Y de inmediato apareció en ella también la pregunta: "¿Qué hice mal? ¿He luchado interiormente contra mí misma?"

Por cierto, en esta situación la pregunta acerca de las causas no aportaría nada. El afectado sólo cavaría cada vez más profundamente dentro de sí mismo sin obtener una respuesta. Actualmente es habitual reducir toda enfermedad a causas psíquicas. Pero como terapeuta, sé que de este modo sólo transmito a los enfermos sentimientos de culpa. Desde Sigmund Freud se habla de la interpretación de la enfermedad causal-reductora. Esto significa que se reduce la enfermedad a una causa pasada. Este tipo de interpretación tiene, naturalmente, su justificación en ciertos casos. Si continuamente me alimento mal o tomo demasiado alcohol, si fumo demasiado, no tendré que asombrarme por síntomas de enfermedades. Pero si atribuyo cada enfermedad a una causa, sólo le ocasiono remordimientos al enfermo. Por último le digo: "Tú mismo eres culpable de tu enfermedad. Podrías haberla evitado si hubieras vivido de otra manera." Pero los remordimientos no ayudan, sólo continúan impulsándonos más profundamente hacia la enfermedad. En su libro *Gracia y coraje* Ken Wilber se rebeló, con razón, contra las interpretaciones que provenían de su entorno cuando su esposa Treya estuvo enferma de cáncer de mama. Amigos psicólogos le dijeron a Treya: "Has tragado demasiado rencor; por eso tienes cáncer." Otros amigos del ambiente esotérico dijeron: "Tú misma te provocas la enfermedad." Treya reconoció, finalmente, que "siempre que alguien elabora una teoría acerca de mi enfermedad se resiste a relacionarse concretamente conmigo. Mantiene su teoría entre él y yo, teoriza sobre mí en vez de escucharme y entender mis sentimientos."

Treya aprendió, a partir de esto, a aceptar su enfermedad y al mismo tiempo a luchar contra ella. Ella quería sanar y probó todas las terapias que tuvo a disposición. Finalmente fue vencida por el cáncer. Pero su ser interior nunca fue destruido, sino que creció a través de la enfermedad. Y también su relación con su esposo se había profundizado. No obstante, al comienzo del mal también existieron entre ellas intensas turbulencias, pero ambos aprendieron a enfrentar su desmayo y los desafíos de la enfermedad, y así crecieron hacia una nueva armonía en su relación.

Para mí es más útil mirar el objetivo en vez de preguntarse por las causas de una enfermedad. C. G. Jung habla de interpretación final de la enfermedad. Aquí no se buscan las causas de la enfermedad sino el objetivo. ¿Qué quiere decirme la enfermedad? ¿Qué me está señalando? ¿Qué apelación se encuentra en ella? ¿Qué debo modificar en mi vida? C. G. Jung habla también de sincronismo, de simultaneidad en relación a la enfermedad. Muchas veces confluyen factores internos y externos sin que esto pueda fundamentarse causalmente. A veces la enfermedad es expresión de una situación abrumadora. Pero no busco la culpa o la causa, sino que intento entender la enfermedad. Entonces puedo luchar contra la enfermedad en tres planos: el plano médico, el psicológico y el espiritual. En la práctica se ve así: en primer lugar pruebo todos los medios que la medicina tiene a disposición contra la enfermedad. Pero luego pienso cómo manejarme conmigo mismo para que ella no se incremente sino que retroceda y, quizá, se cure. Una óptica de esta naturaleza me alivia. Acepto el desafío de la enfermedad sin taladrar continuamente en mí, en busca de lo que hice mal. No me hago reproches, sino que la acepto como algo que me sucedió. Y, finalmente, tomo la enfermedad como un desafío espiritual que me invita a construir mi casa de vida en Dios y a avanzar hacia mi propio ser espiritual.

Otra pregunta que aparece siempre en relación a la enfermedad es: "¿Por qué me castiga Dios con esta enfermedad?" Esta pregunta configura, en última instancia, la continuación religiosa de la interpretación causal-reductora. Como busco la culpa en mí, considero que Dios me castigaría por algo que hice mal. Cuando esta pregunta surge frente a mí, siempre respondo: "Si bien no puedo responder la pregunta acerca del por qué, puedo decir con seguridad que Dios no lo castiga." Me alienta a decir esto la respuesta que Jesús dio a los discípulos ante la pregunta respecto a quién había pecado —el ciego de nacimiento o sus padres—: "Ni él pecó ni sus padres; es para que se manifiesten en él las obras de Dios" (Juan 9, 3). Para nosotros, esto significa que no debemos mirar al pasado sino hacia el futuro. La obra de Dios, la salvación de Dios se hará visible en el enfermo. Para mí significa que en la oración le pregunto a Dios qué desea decirme con la enfermedad, qué desafío significa la enfermedad para mí, a qué debo darle valor en el futuro. No tiene sentido buscar las causas de mi enfermedad en el pasado, ya que esto sólo lleva a cavilaciones inútiles. Debo mirar hacia delante y reflexionar cómo deseo responder a la enfermedad y hacia qué nuevos caminos me puede conducir.

Al conversar con una mujer, ésta me dijo: "Tengo la sensación de que la enfermedad destruye todo mi proyecto de vida. Todo sobre lo que construí está destruido." En primer lugar, traté de ubicarme en el lugar de la mujer. Es doloroso que la estructura de vida se destruya, que los sueños de una vida familiar armónica e íntegra se diluyan debido a la enfermedad. Es importante que yo, como acompañante espiritual, pueda soportar, en primer lugar, junto a ella esta destrucción antes de hacerle referencia a otro plano. Pero si siento que mi interlocutor está abierto me animo a decir: "Su vida no está destruida, sólo se está abriendo a algo nuevo. En última instancia se está abriendo a Dios".

La enfermedad obliga a preguntarse sobre qué deseamos construir nuestra vida. ¿Deseo hacerlo sobre la salud y la vida prolongada, sobre el rendimiento y el éxito, o sobre Dios? Si construyo sobre Dios, la enfermedad no podrá aniquilarme. Una y otra vez me remite al fundamento auténtico de mi vida, a Dios. La enfermedad me interroga acerca del sentido de mi vida. ¿Qué deseo transmitir con mi vida? ¿Qué huella deseo grabar en este mundo? A través de la enfermedad puedo descubrir otros valores que se vuelven importantes para mí: la oración, el silencio, la música, la naturaleza, buenas conversaciones que giran en torno del misterio del hombre y de Dios. En la enfermedad puedo descubrir el espacio interior de silencio en el que Dios vive en mí. Allí, donde Dios vive en mí, allí estoy íntegro y a salvo. Allí no tiene acceso la enfermedad.

Naturalmente, en cada enfermedad también hago referencia a la fuerza de la oración. No puedo imponer la sanación mediante la oración. Siempre que una enfermedad se cura se trata de un milagro de la gracia de Dios. Pero puedo tener la esperanza de este milagro. Al mismo tiempo debo entregarme una y otra vez a Dios y a su voluntad. Imaginar que la luz y el amor de Dios fluyen en las partes enfermas de mi cuerpo y sanan lo enfermo puede ayudarme. Carl Simonton, médico americano especialista en cáncer, desarrolló el método de la visualización en el tratamiento del cáncer. El enfermo imagina que las fuerzas de autocuración vencen a las células enfermas. Visualiza cómo los rayos de luz claros y cálidos penetran los sectores oscuros y enfermos del cuerpo y tienen un efecto sanador.

En este punto quisiera elevar este método puramente psicológico al nivel espiritual. No son mis propias fuerzas las que vencen las células enfermas, sino el espíritu sanador de Dios, su amor que con el aliento atraviesa mi cuerpo. Puedo imaginar como en el aliento del perfume del amor de Dios —tal como lo ve el místico y poeta persa Rumi— atraviesa mi cuerpo y colma de amor precisamente mis zonas enfermas. O en la oración entrego mi enfermedad a Dios y le ruego que su espíritu sanador fluya dentro de mí, sane la enfermedad y fortalezca mis fuerzas de autocuración.

Cualquier enfermedad me torna interiormente desamparado y vulnerable. Si la medicina tradicional no surte efecto, uno se aferra rápidamente a lo primero que encuentra. Pero muchos enfermos buscan ayuda por todas partes. La experiencia muestra, sin embargo, que cada uno que le ofrece ayuda le dice algo diferente, y esto confunde totalmente a la mayoría. Por esta razón es importante tratarse con un único médico a quien se le entrege la confianza, en vez de deambular de uno a otro. Al mismo tiempo debería aprovecharse la oportunidad de la oración y la meditación, de los ejercicios espirituales y las misas de bendición. No obstante, debe tenerse presente que no tiene sentido caer en un activismo religioso como si mediante muchas oraciones y peregrinaciones pudiéramos manejar la enfermedad. Se trata, más bien, de la confianza en Dios y no de una actividad religiosa.

Algunas personas me piden que les dé la bendición cuando están enfermas, que coloque mis manos sobre ellas y ruegue para que el espíritu sanador y salvador de Dios pueda sanar la enfermedad. Yo confío en que la oración tiene una acción sanadora, pero al mismo tiempo veo gente que peregrina de un sacerdote al otro para hacerse bendecir. Prueban simultáneamente a los religiosos y a los médicos, viendo cuál de ellos tiene mayor fuerza sanadora en sus manos. Piensan que provocar la sanación depende de la fuerza del orante. Entonces aparecen las peregrinaciones regulares a determinados sacerdotes. Tanto mayor es la decepción cuando con uno no da resultado. Buscan entonces la culpa en la falta de fuerza de la oración del sacerdote o en la falta de una fe intensa.

La manera en que me relaciono con mi enfermedad siempre implica un desafío cada vez más profundo. Por un lado, debo luchar con y contra la enfermedad, con la esperanza de vencerla. Por el otro, debo aceptar la enfermedad como desafío para cambiar mi vida, para construir mi casa de vida en Dios y penetrar cada vez más profundamente en el misterio de Dios y de mi vida. También debo rezar para que Dios sane mi enfermedad y para que Dios me muestre la enseñanza que debe darme la enfermedad. Ambos caminos desembocan, sin embargo, en la disposición de entregarme a Dios. Y ambos caminos me indican que yo mismo no puedo garantizar mi vida. Diariamente recibo señales de que estoy en manos de Dios. Sólo puedo confiar en la mano benévola de Dios que me guía y que no me deja caer, ni siquiera cuando la enfermedad se agrava e incluso me lleva a la muerte.

Muchas personas me han contado que están agradecidas por su enfermedad, porque a través de ella han aprendido mucho. Han aprendido a relacionarse con más cuidado consigo mismas y con sus semejantes, a aceptar con agradecimiento cada instante de su vida, a vivir más intensamente cada encuentro y cada conversación. Y han descubierto otros valores: el valor del amor, de la fidelidad, de la bondad, del silencio, de la oración. Una hermana de la Orden que sabía de su cáncer incurable, les dijo una y otra vez a sus hermanas: "Todo esto ya no importa". Para ella se habían modificado los parámetros. Dios se había convertido en el punto central de su vida. De pronto había entendido que Dios era la verdadera meta de su vida. Se familiarizó con su propia muerte y superó el temor que le producía. Por esta razón, también percibía a las personas a su alrededor de otra manera y se comprendía mejor a sí misma y a los demás. Ella había aceptado el sufrimiento de su enfermedad, había madurado con ello, se había vuelto más buena, más silenciosa, más atenta y más espiritual.

Querido lector, no quisiera quitarte la esperanza de curación de tu enfermedad. Siempre debes tener fe en el milagro de la sanación. Pero al mismo tiempo quisiera invitarte a ver la enfermedad como una oportunidad para observar otros valores en tu vida. La enfermedad te invita a preguntarte qué es verdaderamente importante para ti.

¿Qué significa la vida para ti?

¿Qué deseas transmitir con tu vida?

¿Qué huella deseas grabar en este mundo?

Toma la enfermedad como una exhortación a vivir agradecido cada instante, a estar agradecido por la vida que has vivido hasta ahora. Agradece por las personas que te acompañan y se ocupan de ti, y aprovecha la oportunidad para decir aquello que desde hace tiempo deseabas decirle a las personas que están en tu corazón.

Sufrimientos psíquicos

Durante las conversaciones encuentro mucha gente que padece de afecciones psíquicas. Muchas veces experimentan este sufrimiento como insoportable. Se puede hablar acerca de una enfermedad física, se puede contar acerca de la operación a la que uno debe someterse o la medicación que debe tomar. Pero muchas personas no se animan a hablar sobre su enfermedad psíquica. Se sienten fácilmente marcadas y ellas mismas tienen la sensación de que no tienen nada en sus manos. Se sienten enfermas, pero a menudo no saben de dónde proviene esta sensación. Y, ante todo, se sienten desamparadas, no pueden ver qué podría ayudarlas verdaderamente.

Aquí se manifiesta una depresión, mal que aqueja cada vez a más personas. Algunos psicólogos consideran que la depresión se ha convertido en una enfermedad popular. Todos cuentan de otros que sufren de depresión. Pero quien está personalmente afectado por ella trata de ocultarlo. Nadie desea ser tildado o compadecido como psíquicamente enfermo, o ser catalogado como debilucho. Y sin embargo, esta enfermedad afecta cada vez a más gente a su alrededor. Existen distintas estrategias para tratar la depresión según su severidad.

La primer estrategia consiste en dialogar con la depresión. C. G. Jung dice que la depresión es una dama vestida de negro. Cuando golpea a nuestra puerta debemos abrirla de buena voluntad y permitirle su ingreso, ya que ella tiene algo importante para contarnos. El diálogo con la depresión ayuda especialmente en las depresiones reactivas, por ejemplo en las depresiones por agotamiento o en las depresiones que son una reacción por experiencias de pérdida o por una inseguridad excesivamente grande o un desarraigo por movilidad constante. Al hablar con la depresión, ella puede hacernos notar que debemos cuidar mejor de nosotros, que debemos mantener el equilibrio en forma consecuente y que necesitamos una base sobre la cual construir nuestra vida. Necesitamos más calma y seguridad, tanto interior como exterior. El diálogo con la depresión parte del hecho de que tiene un sentido y que busca guiar nuestra atención hacia algo que, sin esta enfermedad, no veríamos.

Una mujer me contó que de pronto, a los cincuenta años, comenzó a sufrir depresiones, aunque nunca antes las había tenido. Al conversar con ella salió a la luz que su perfeccionismo era una causa de la depresión. Ella quería ser una madre perfecta para sus hijos. Entonces la depresión la invitó a ser más humana consigo misma y despedirse de su imagen de madre perfeccionista.

El manejo de las depresiones endógenas es más complejo. El primer paso consiste en reconocer el hecho de que estoy enfermo. Necesito medicación, incluso cuando mi interior se opone a ello. Debo vivir con la enfermedad. A veces me sentiré desamparado. A pesar de todos los conocimientos psicológicos, a pesar de todas las estrategias, una y otra vez atravesaré etapas depresivas en las que me sentiré sin fuerzas.

El segundo paso consiste en reconciliarme con la depresión. Sería bueno aceptarla como un acompañante que me remite hacia cosas esenciales en mi vida. No siempre es sencillo reconciliarse con una enfermedad de esta naturaleza. El que tiene la sensación de estar sentado en un agujero oscuro sólo siente desamparo, desesperación, desmayo. Tampoco la oración llega a la oscuridad. Entonces me siento abandonado por Dios. Todo lo que hasta ahora me había ayudado parece haber desaparecido en esta situación, ya no está a mi disposición. Sólo puedo reconciliarme con ello si en mi depresión también descubro un sentido.

El tercer paso consiste, entonces, en encontrar un sentido a la depresión. Un sentido podría encontrarse, por ejemplo, en que la depresión me guía a lo profundo de mi humanidad. A través de la enfermedad entiendo que la vida no es tan superficial y que no todo es sencillo. Miro hacia los abismos de la vida humana y vislumbro algo de la profundidad y la incomprensibilidad de Dios. Dios parece no estar presente en esta oscuridad, pero si me reconcilio con mi depresión, ella podría guiarme hacia Dios. En el fondo de mi depresión vislumbro algo de la paz y la calma. Entonces toco al Dios que vive en mí sobre el fondo de mi espíritu y en la profundidad de mi depresión. Mi camino hacia Dios no pasa junto a la depresión, sino que la atraviesa. De este modo, la depresión se convierte en mi acompañante, en mi camino espiritual, en mi camino hacia Dios.

Nadie puede elegir tener o no una depresión. Pero la forma en que el individuo se relaciona con ella es una cuestión personal. Naturalmente, es posible responsabilizar a su entorno. En ese caso transmito a los que me rodean: "Ustedes son culpables de que a mí me vaya tan mal. Si ustedes me entendieran, me iría mejor. Si me visitaran más y se dedicaran a mí, no estaría tan enfermo." Tales acusaciones distribuyen a mi alrededor una huella de decepción, de agresión y de amargura. Todos se alejarán aún más de mí. Sin embargo, si me reconcilio con mi depresión, a pesar de la debilidad podré transmitir algo de esperanza e indulgencia. Entonces, a pesar de mi estado depresivo, estaré emanando paz.

Por supuesto, también existen depresiones contra las que ningún remedio es eficaz. A menudo frente a un hombre a quien su depresión lo sumerge y lo lleva incluso a la muerte. En ese caso no nos queda otra cosa que reconocer nuestra debilidad e inclinarnos frente al misterio del otro. Nosotros no podemos entenderlo y, por ende, no corresponde ninguna evaluación ni juicio.

Cuando los hombres se enteran de que padecen una psicosis y de que pueden padecer la psicosis una y otra vez, es frecuente que toda su estructura de vida se derrumbe. Tienen miedo de perder su trabajo, de no poder llevar adelante su vida. Se sienten desamparados, tienen la sensación de que en su alma hay algo absolutamente extraño que ellos no pueden clasificar ni comprender ni influenciar. Esto hace que la gente se sienta débil e indefensa. Ellos mismos se sienten extraños, tienen la impresión de que no llevan las riendas sino que están en manos de la enfermedad. No existe garantía alguna de que no vuelvan a ser víctimas de un brote psicótico.

Cuando el psiquiatra diagnostica a un hombre esquizofrenia o enfermedad maníaco-depresiva, produce un impacto en él. Con todas estas enfermedades las personas tienen la sensación de que han fracasado en su vida. No pueden conformarla como desearían. Deben despedirse de muchos sueños. En esta situación ya no saben sobre qué edificar su casa de vida, ya que su fundamento es frágil. Tienen miedo de que su casa de vida pueda derrumbarse en cualquier momento.

No es fácil familiarizarse con el sufrimiento de afecciones psíquicas severas. También en este caso es primordial reconciliarse con ellas. La enfermedad nos exige encontrar y respetar nuestro límite. Este límite es sustancialmente inferior a las imágenes desmedidas que imaginamos en nuestros delirios de grandeza. Necesitamos humildad para aceptar esta dimensión más pequeña. Pero dentro de esta dimensión nuestra vida puede ser fecunda. Otro desafío radica en vincular entre sí ambos polos: el cielo y la tierra. Las personas esquizofrénicas tienen con frecuencia visiones espirituales y alucinaciones en las que ven y oyen algo importante. Pero les falta el cable a tierra. Entonces interiormente se destruyen y pierden el suelo bajo los pies. Las personas necesitan algo sólido, tanto en el trabajo como en la realización de su vida privada. Los esquizofrénicos me cuentan a menudo de su penuria: a través de los medicamentos psiquiátricos, los separan de su mundo de fantasía. Entonces ya no se sienten como personas. Pero si viven conscientemente el polo de la tierra no necesitan reprimir su mundo de fantasía. No se evadirán al mundo irreal de su fantasía, distanciándose interiormente, porque tienen un suelo firme bajo sus pies.

Sólo si me reconcilio con mi enfermedad psíquica, existe la posibilidad de encauzarla con medicamentos de manera tal que no obstaculice mi vida. Pero la vida está y permanece limitada. Y el afectado debe vivir con esta limitación. De lo contrario, una y otra vez volveré a caer en la enfermedad. La enfermedad me enseña, entonces, humildad y modestia, y una atención a mi psiquis y a las aventuras que a veces emprende. De este modo, la enfermedad puede remitirme continuamente a Dios. No puedo superar la enfermedad, dependo de una buena regulación de los medicamentos y, en última instancia, de Dios, en cuyas manos estoy. El espíritu de Dios también puede penetrar mi enfermedad psíquica y su desgarro interior. Dios puede vincular lo que está escindido y roto en mí. Pero yo debo reconocer siempre que estoy amenazado por tal enfermedad y que la escisión puede volver a aparecer. Muchos se rebelan contra su enfermedad y ruegan a Dios que los cure. Quieren obligar a Dios a quitárselas. La oración, tal como la entiende Jesús, significaría, sin embargo, reconciliarse con la enfermedad y ofrecérsela a Dios. Luego, en la oración, podré sentir una paz interior en medio de mi enfermedad. La enfermedad me recuerda y me remite continuamente a Dios. De esta manera puedo vivir conmigo mismo sin desvalorizarme ni combatirme.

Preocupaciones por los hijos

Otra pena que me cuentan las personas constantemente es la preocupación por sus hijos.

Un padre cuenta acerca de su hijo de ocho años, que es totalmente ambicioso y que se enfada por completo cuando algo le sale mal. Ya consultó a la Orientación para Padres, pero sólo lo ayudó a estar más confuso aún.

O una madre que cuenta de su hijo que se droga y simplemente no tiene ganas de darle forma a su vida y colocarla sobre un fundamento firme. Él rechaza la vida. La madre querría empujarlo a la vida pero tiene miedo de que se suicide.

Otra madre teme por su hijo de treinta y seis años que, cargado de angustia, está sentado en la casa y no se anima a salir. Padece de depresiones, pero no deja que le ayuden. Quiere que la madre resuelva sus problemas.

Un padre sufre porque su hija cortó totalmente el contacto con la familia. Todos los intentos de comunicarse con ella fracasan. Ella rehúsa una conversación clarificadora, devuelve las cartas sin abrir.

Un matrimonio se siente desamparado porque ninguna terapia surte efecto con su hija anoréxica. Un padre que entiende mucho de psicología casi no puede ayudar a su hija depresiva. Vive con el temor constante de que ella se quite la vida.

Características de personalidades difíciles y formas de vida entreveradas

En todos estos relatos de los padres aparece siempre el sentimiento de culpa. ¿Qué hemos hecho mal para que nuestro hijo, nuestra hija se desarrolle así? Estas personas hacen referencia frecuente a sus preocupaciones y a su intervención. Durante años tuvieron la sensación de que el hijo o la hija serían brillantes. Tenían una buena relación con él/ella. Precisamente con este hijo, con esta hija existieron muy pocos problemas y él/ella fueron siempre el sol de la familia. De pronto se produjo un corte que los padres no pueden explicarse. Ocurre también el caso contrario: el hijo o la hija fueron difíciles desde sus comienzos. Y todos los esfuerzos realizados fueron en vano. Ellos no entienden cómo pudo suceder.

Los padres se preguntan qué han hecho mal a pesar de todo su esfuerzo. A veces encuentran suficientes puntos de referencia: estaban estresados, estaban excesivamente ocupados con la construcción de la casa, debían atender a los abuelos, el nacimiento del segundo hijo desencadenó una crisis en el hijo mayor que estaba celoso de no ocupar ya el primer lugar. Y los padres se inclinan y piden perdón por todo lo que hicieron mal. Precisamente cuando la hija o el hijo los ataca y les reprocha haberla/haberlo educado mal, los padres reaccionan con frecuencia desvalorizándose frente a sus hijos y pidiendo miles de disculpas. Pero esto no ayuda a los hijos; por el contrario, fortalece su actitud de víctima y les impide asumir la responsabilidad por su vida. Y a los padres les roba toda la energía y la autoestima. Los padres dieron lo que pudieron dar, y esto deben sostenerlo. No podemos borrar el hecho de que para el hijo o la hija no haya sido suficiente. Nosotros, los hombres, nunca damos lo suficiente. Tampoco debemos hacerlo. Sólo podemos dar lo que tenemos.

Si tú, querida madre, querido padre, te reprochas que tus hijos no llegaron a ser como tú hubieras querido, si por ejemplo no concurren más a la iglesia, si ya no manejan su vida, si se drogan o están rodeados por un círculo de amistades negativas, simplemente deberías ofrecerte a ti y a tus hijos a Dios. Renuncia a culparte por haber hecho todo al revés. De ese modo sólo te destrozarías. Tampoco ayuda el otro camino, que consiste en perdonarse o justificarse en el hecho de que la intención fue buena. Deja el pasado tal como fue. Fue así. Y también puede ser así. Tú te has esforzado en educar bien a tus hijos. Te has dedicado con todo tu corazón y tus fuerzas. A pesar de ello se produjeron heridas. Las heridas pertenecen a nuestras vidas. Los niños pueden madurar y fortalecerse con ellas. Es su responsabilidad el modo en que reaccionan frente a las heridas, no es tarea tuya. Sólo puedes dar valor a tu hijo o a tu hija para entenderse con sus heridas y reconciliarse con su limitación. Entonces su vida resultará plena. Los hijos tienen con frecuencia expectativas desmedidas con relación a los padres, y satisfacerlas no les haría bien.

También es importante creer que los hijos son capaces de realizar su vida. Apóyalos con tu oración. Reza para que las heridas de los hijos se transformen en perlas, para que en sus heridas descubran sus propias fortalezas y su vocación. Los hijos tienen la responsabilidad propia de aceptar su vida con su historia y reconciliarse con su pasado. No existe una infancia ideal. No obstante, las limitaciones que experimentamos de niños resultan muy útiles. De lo contrario todos tendríamos la sensación de vivir constantemente en el país de las maravillas. A más tardar, cuando adultos caeríamos en una crisis profunda, ya que el mundo no es un país de las maravillas sino un campo de batalla en el que debemos posicionarnos. Y de la lucha no salimos ilesos. Algunos se resisten a la lucha porque no quieren sufrir heridas, pero entonces la vida les pasa por el costado. En un caso así siempre es fácil echar la culpa a los padres. En realidad, lo que uno hace es resistirse a asumir la responsabilidad por su propia vida y a estructurarla y darle forma.

La primera tarea que debes resolver frente a un hijo que te causa muchas preocupaciones, es el manejo de los sentimientos de culpa. La segunda tarea consiste en enfrentar el propio desamparo. Tú, como padre o como madre, no eres el terapeuta de tus hijos. Puedes asistirlos y acompañarlos, pero no puedes resolver sus problemas psíquicos porque tú mismo estás fuertemente implicado en la relación con tus hijos. Busca ayuda para ti mismo, para saber cómo manejarte frente a ello. Quizá exista un grupo de autoayuda cerca de tu casa. Y busca ayuda terapéutica o espiritual para tu hijo. La crisis siempre puede ser también una oportunidad, y los niños difíciles son con frecuencia niños muy sensibles. Si elaboran su inseguridad con ayuda profesional, con frecuencia se convierten en una bendición para los demás.

Tu tercera tarea es tener fe en tus hijos. Incluso si momentáneamente los consideras difíciles o psíquicamente enfermos, y debes aceptarlo, nunca deberías perder la fe en tus hijos. Ten confianza en la buena semilla dentro de ellos, ten fe en su anhelo de desarrollar lo bueno. Los hijos notan si los padres creen en ellos o si ellos mismos temen que su vida no resulte plena. La fe no significa ver todo color de rosa para no reconocer los problemas de los hijos. Se trata, por el contrario, de aceptar lo que es. Pero no abandono la esperanza de que en el niño existe algo sano que se impondrá a través de todos los problemas psíquicos. Y tengo fe en que el niño no está solo sino que su ángel lo acompaña en todos los caminos, también en los rodeos y caminos equivocados. Pero debo rezar pidiendo confianza y esperanza, incluso cuando lo que piden los padres es una esperanza contra toda esperanza.

La cuarta tarea consiste en aceptar el desafío de los hijos problemáticos. Todo niño coloca a los padres frente a una tarea importante. Muchas veces son precisamente los hijos de padres exitosos los que rechazan la vida. Les muestran a sus padres su propio desamparo y debilidad. No obstante, existen aspectos de la vida que no es posible dominar con ambición y habilidad. Allí son necesarias otras virtudes, tales como escuchar atentamente, relacionarse humildemente con lo incomprensible en el niño. No puedo organizar y controlar a los niños como a una empresa. Con frecuencia el niño coloca un espejo frente a los ojos de los padres, y es bueno mirar ese espejo. De esa manera tomamos contacto con los aspectos débiles y los lados de sombra. Percibimos que no todo es realizable. Esto nos vuelve modestos y humildes. Padres de niños difíciles me contaron a menudo que su hijo los desafió a desprenderse de seguridades materiales y dedicarse a cosas espirituales. Para algunos también fue una motivación para volver a relacionarse con Dios.

Homosexualidad

Otra madre me llamó cierto día desesperada. Su hijo le había comunicado que era homosexual. Ella sola no podía con esto y se dirigió a mí en busca de consejo.

Entiendo muy bien que a algunas madres en su primer momento les provoque un *shock* enterarse que su hijo o hija es homosexual. Pero el sufrimiento depende de la actitud. Si considero la homosexualidad como una condición que no debe juzgarse, puedo reconciliarme sin más con ella. Traté, por lo tanto, de explicar a la madre que las personas homosexuales son iguales a las heterosexuales, que incluso muchas veces tienen un sentido especial para la espiritualidad y el arte. Disponen de dones valiosos de los cuales los padres deberían alegrarse. En principio se destruyen los deseos de los padres en relación con que el hijo o la hija forme tarde o temprano una familia y que ellos puedan disfrutar de sus nietos. Esto duele. Pero la magnitud del sufrimiento de los padres depende sustancialmente de la actitud que ellos desarrollen frente a la condición homosexual de sus hijos. Si ellos aceptan a sus hijos tal como son, el sufrimiento se transformará y podrá surgir una muy buena relación entre ellos.

Enfermedad y discapacidad

Muchos padres que tienen un hijo discapacitado me cuentan que necesitaron mucho tiempo hasta aceptar la discapacidad. Pero ahora experimentan que el hijo es una bendición para toda la familia. Lleva en sí algo de amor y felicidad. O tiene aptitudes que casi no observamos en los niños "normales". Una mujer, por ejemplo, que tiene un hijo con una enfermedad incurable, concurrió a un grupo de autoayuda. La mayoría en este grupo hablaba siempre de la carga que debían soportar a causa del hijo, y preguntaban cómo manejarse con ella. Sin embargo, después de asistir a un curso que impartí, la

El tratam

mujer comprendió que el niño también tenía u
ra los padres y para toda la familia. Cuando trat
cer el mensaje, de pronto vio al niño con ojos con
te distintos.

Una discapacidad no es sólo una carga. También es un regalo. El niño con la enfermedad incurable señala a los padres el misterio de la vida que siempre es finita, que siempre está amenazada por la muerte y que, sin embargo, oculta algo dentro de sí que excede la muerte. Ya que el mensaje que el niño tiene para dar sobrevivirá a la muerte. Permanecerá como una huella grabada en el corazón de los padres. La madre en cuestión está fascinada por la mirada que a veces le brinda su hijo. En esta mirada parece vislumbrar el misterio de todo ser. Es una mirada de complicidad y, al mismo tiempo, una mirada de amor. Cuando ella mira los ojos claros de su hijo se siente ampliamente obsequiada. Entonces reconoce el mensaje que él tiene preparado para ella. Y a pesar de todo sufrimiento, experimenta a su hijo como un regalo maravilloso.

Enfermedad psíquica

Los padres sufren cuando el hijo o la hija son depresivos o padecen de una psicosis. A menudo no comprenden al hijo. Le dieron todo lo que tenían para darle, el hijo es inteligente, no le falta nada, pero a pesar de ello no sale de su depresión. Ninguna persuasión da resultado.

También aquí es importante que los padres se informen con especialistas para reaccionar de la manera adecuada frente a la enfermedad de sus hijos. Pero más allá de la ayuda profesional, el sufrimiento de los padres continúa. Observar cómo los hijos no dominan su vida sino que una y otra vez caen en una fase depresiva o son atrapados por un brote psicótico, duele. Sin embargo, la enfermedad de los hijos significa, por un lado, un desafío para reflexionar sobre sí mismo. ¿Cómo entiendo mi vida? ¿La enfermedad de los hijos me remite a lados de sombra reprimidos? Aquí se entenderá que lograr la plenitud en la vida no brota espontáneamente. Y también descubriremos aristas desconocidas en nosotros mismos. Por otra parte, se trata de despedirse de la ilusión de que a través de una educación bien intencionada pueden resolverse los problemas de los hijos. Los hombres chocamos siempre contra límites. Existen enfermedades que sencillamente debemos aceptar, cuidándonos frente a dos riesgos: el primero consiste en atribuir la enfermedad sólo a los hijos según el lema "yo estoy sano". El segundo riesgo es buscar la culpa en uno mismo. Siempre debo observar ambas partes. ¿Qué expresa la enfermedad sobre el sistema familiar? ¿Y qué manifiesta sobre mí? No debo reprimir mi parte en la situación familiar, pero tampoco debo creer que soy responsable de todo. Quizá la enfermedad del hijo o de la hija tenga otras causas. Puede ser una cuestión hereditaria o ser consecuencia de la falta de determinadas hormonas.

A menudo una enfermedad tal no puede explicarse a través del sistema familiar; es decir, no puedo explicar ni la enfermedad ni la situación familiar. En la incomprensibilidad del sufrimiento encuentro al propio Dios incomprensible. Esto me indica que simplemente debo enfrentarme a ello y tratar de dar mi respuesta personal, sin romperme la cabeza por descubrir la relación que existe entre todo. Sólo puedo aceptar la enfermedad de los hijos como un desafío que me enseña que el alma humana es un misterio muy profundo. Y en la enfermedad del niño siempre encuentro la propia verdad, las profundidades de mi propio inconsciente.

La enfermedad de los niños me remite con frecuencia a Dios. En la oración siempre puedo esperar el milagro de la sanación. Al menos la oración me dará más confianza. Y la confianza me ayudará a comportarme de otro modo frente al niño enfermo. Si la oración transforma mi actitud frente al niño, es habitual que también se produzca una transformación en el niño.

Anorexia

Los padres de un hijo anoréxico se sienten igualmente desamparados. Han descubierto que todas las apelaciones para que se alimente bien no prosperan. Tampoco sirve hacer reproches.

El primer paso de la curación consiste en que los padres acepten su propia impotencia. Ellos no son, en este caso, los terapeutas de la hija o el hijo. En esta situación, deben confiar su hijo a otra persona, a un terapeuta y también a Dios. Y ellos mismos necesitan asesoramiento profesional para poder comportarse correctamente frente a su hijo y su enfermedad. También aquí el hijo anoréxico representa un desafío para los padres, desafío con el cual pueden aprender. Deben ingresar en él a través de la meditación y preguntarse qué tiene para decirles. ¿Qué desea expresar la hija a través de su vida? ¿Por qué el hijo no puede vivir momentáneamente de otro modo que no sea como anoréxico? ¿Frente a qué se protege? ¿Frente a qué tiene miedo la niña? ¿Por qué se aferra tanto a su anorexia? ¿Tiene miedo de perderse a sí misma? ¿Cómo entiende su vida y qué anhela?

Ocuparse del hijo anoréxico formula preguntas a los padres respecto de su propia vida. ¿Cómo veo yo mismo mi vida? ¿Qué le da sentido a mi vida? ¿Hacia dónde se orienta mi anhelo más profundo? ¿Puedo dialogar con mi hijo sobre mi anhelo y sobre el suyo? ¿Qué quisiera alcanzar en mi vida? ¿Qué huella quisiera grabar en este mundo?

Drogadicción

Cuando los padres se enteran que el hijo o la hija se droga experimentan un gran sufrimiento. También aquí aparecen en primer lugar los sentimientos de culpa a los que es necesario enfrentar. Pero si los padres giran continuamente en torno de sus sentimientos de culpa no estarán ayudando a su hija drogadicta y a su hijo que fuma marihuana. Deben comunicarse y dialogar con ellos. Sólo entonces podrán buscar un camino en común para que los hijos abandonen la adicción.

La adicción es el resultado de un anhelo reprimido y con frecuencia también un reemplazo materno. Esto no significa que la madre sea culpable de la adicción de su hijo. El hijo o la hija en cuestión no quiere dejar el nido materno y escapa hacia la adicción en búsqueda de protección. También aquí es necesaria siempre una actitud consecuente de los padres; por cierto más la advertencia paterna que la comprensión materna. Y es importante descubrir el anhelo que está detrás de la adicción. Los hijos necesitan ambas cosas: disciplina y la percepción de su propio anhelo.

El anhelo de felicidad, de una vida plena, siempre se despierta a través de la realización y la decepción. El adicto querría escapar de toda decepción, pero de ese modo rechaza la vida. El que sabe que la satisfacción y la decepción necesariamente forman parte de la vida, también podrá decir "sí" a la aparente mediocridad y banalidad de la vida. Reprochar al hijo alcohólico o a la hija drogadicta no sirve de nada. Como padre debo tener en cuenta su anhelo y llegar a establecer una buena comunicación. Entonces tendré acceso a su corazón. Si a eso se agrega la fuerza de la disciplina y la confianza en que el hijo o la hija lograrán el camino para dejar la adicción, existe esperanza de curación.

Fracaso en el trabajo y en las relaciones

Desempleo

Una y otra vez oigo acerca de destinos trágicos. Un hombre construyó una empresa y estaba absolutamente comprometido con ella. Pero ahora todo se vino abajo. Debió declararse en quiebra. Todo lo que con gran esfuerzo construyó se disolvió en la nada.

Un hombre llevaba adelante la empresa de sus antepasados. Ya era la quinta generación. Pero ahora simplemente no va más. Los bancos se niegan a dar nuevos créditos. A la ruina económica se agrega la sensación de cargar la culpa sobre sí frente a los antepasados: no pudo continuar lo que ellos construyeron.

También los desempleados me cuentan a menudo de su destino. Se comprometieron con la empresa. Pero ahora ésta fue vendida a un grupo extranjero y se suprimieron muchos puestos. Por ejemplo, una mujer de cincuenta años que ocupaba un puesto de responsabilidad apenas tiene posibilidades de ubicarse en otro lado. La buena formación, el buen trabajo, todo esto ya no cuenta. En las postulaciones le dicen que tiene una calificación demasiado alta. Le duele tener que ofrecerse continuamente y experimentar humillación y desvalorización.

Detrás de cada desempleado existe un destino que con frecuencia provoca mucho pesar al afectado. Como acompañante espiritual, no puedo simplemente transmitir consuelo. No conozco una solución para que el desempleado lleve a cabo y obtenga un puesto. Palabras tales como "Ya se solucionará. El que se cree capaz conseguirá un empleo" suenan como una burla para el que busca consejo. Desde una posición segura es fácil decir algo así, pero para el desocupado que ha escrito cientos de solicitudes y sólo ha recibido negativas, esto no lo ayuda. A través de estas frases se siente herido.

Los padres que ya no tienen trabajo se sienten muchas veces como fracasados. Ya no pueden garantizar un ingreso adecuado para su familia. El nivel de vida debe ajustarse. Al dolor personal se suma la sensación de no poder brindarles a los hijos la educación que siempre imaginaron. Los hijos se avergüenzan frente a sus compañeros de clase, porque de pronto no pueden permitirse nada. No pueden participar de la excursión porque les falta dinero. A veces está en juego toda la existencia. Quizá incluso hayan construido una casa y ahora no pueden pagar más los intereses. Los bancos reclaman la venta de la casa.

Después de una disertación sobre el tema "Encuentra el sendero de tu vida", una mujer me preguntó si acaso los desempleados no encontraron su sendero de vida. Evidentemente, ella había escuchado interpretaciones que afirmaban que los mismos desempleados son culpables porque todavía no reconocieron su propio sendero. Tales manifestaciones sólo lastiman; la desocupación es un acontecimiento. Naturalmente, existen casos en que la causa también debe atribuirse a los afectados. Pero tampoco en este caso debo interpretar el sufrimiento, ya que sólo lo aumentaría. La única ayuda para reaccionar frente al desempleo consiste en fortalecer el valor de uno mismo y no perder la autoestima, sino crecer con ella.

Para mí existen tres maneras de reaccionar frente al sufrimiento del desempleo: en primer lugar, debo reconsiderar mi propia autoestima. Mi valor propio no depende exclusivamente del trabajo y tampoco del rendimiento que pueda demostrar. Mi valor personal radica, en última instancia, en el hecho de que fui creado por Dios como un ser único y especial. El fundamento sobre el que construyo mi casa de vida no puede ser el éxito, sino sólo Dios. Esto suena como un consuelo, pero la pérdida del trabajo me obliga a crear un nuevo fundamento para mi vida. El fundamento más profundo es, finalmente, Dios. Y el desempleo es una invitación a reflexionar sobre mi verdadero valor, sobre la meta de mi vida. Ya no puedo hacer realidad lo que me he propuesto en el trabajo, pero a pesar de ello puedo dejar una huella en este mundo que sea importante para los demás. También aquí depende de la actitud con la que reaccione frente a mi desempleo. Nadie puede quitarme la libertad de elegir la actitud frente a mi situación. Aquí puedo probar la fuerza de obstinación del espíritu. No me dejo doblegar. Reacciono frente a mi situación descubriendo y desarrollando mi propio valor, un valor que nadie me puede quitar.

La segunda manera de reacción frente al sufrimiento del desempleo consiste en darle una forma consciente a mi vida.

Si desaparece la estructuración de mi vida a través de la pérdida del trabajo, necesito con más razón buenos rituales que estructuren mi día. Ellos me dan sostén. Los rituales son como una casa en la que puedo vivir. Me levanto cada día a la misma hora y estructuro la mañana con mis rituales personales: con oración o meditación, con una caminata por el bosque o una lectura de la Biblia. Si bien no puedo concurrir al trabajo, puedo estructurar mi día de manera que se convierta en *mi* día, que se convierta en *mi* vida. Los rituales me dan la sensación de que soy yo quien vive en vez de ser vivido. Ellos estructuran el día y por ende hacen que mi vida esté plena de sentido. El desempleo puede llevar fácilmente a la desestructuración. Me dejo estar y simplemente vivo el día. Esto no le hace bien al alma y le roba todo su sentimiento de autoestima. Si en cambio doy forma al día con mis rituales personales, experimentaré el sentido de mi vida. Y mi vida tendrá una forma que me hace bien. Así puede crecer algo nuevo en mí. No se trata sólo de rituales sino de una estructuración conveniente del día. ¿Qué trabajo puedo realizar en la casa o en el jardín? ¿Cuándo me tomo tiempo para leer algo o ir a un museo, para observar algo que desde hace tiempo quería observar? ¿A quién me gustaría visitar? ¿Cómo puedo aprovechar el tiempo libre que ahora tengo a disposición? ¿Qué quería leer o estudiar desde hace mucho tiempo? Puedo averiguar si en la universidad no se dicta un curso o si puedo realizar algún otro estudio. Por otra parte, no debo entregarme, debo seguir buscando un puesto para el cual postularme. Necesito utilizar mi tiempo de modo conveniente, de lo contrario mi estado de ánimo se irá cada vez más al sótano.

La tercera manera de manejar el desempleo consiste, para mí, en aprovechar la oportunidad para reorientarme.

¿Qué posibilidades y aptitudes hay en mí? Pienso cuál es mi huella de vida más personal y auténtica, aquella que deseo dejar en este mundo. ¿He vivido hasta ahora realmente lo que corresponde a mi ser más íntimo? ¿O existen cuerdas en mí que aún no despertaron pero que ahora desean hacerse escuchar? ¿En qué me gustaría capacitarme? ¿Qué querría aprender? ¿Cómo puedo, hoy, comprometerme con una misión? Duele postularse y recibir siempre negativas. Me desvaloriza. Por esta razón debo ver qué puedo emprender. ¿Dónde radica la oportunidad de tener mucho tiempo? En todas estas reflexiones estará naturalmente siempre presente la preocupación por el futuro económico. Por ello debo buscar qué es posible. ¿Qué posibilidades de reacomodación profesional ofrecen las Bolsas de Trabajo? ¿Qué puedo ofrecerle a la gente que responda a mis fortalezas? Sé que todas estas reflexiones a menudo no llevan a la meta. He hablado con personas que, a pesar de todos los esfuerzos, no tuvieron éxito. En ellos crece la angustia de no poder llevar a cabo su vida y no poder procurar el propio sustento en la vejez. Tanto más importante es aquí la fuerza de obstinación del espíritu. No debo desistir. Debo pelear por mí y por mi vida.

Separación y divorcio

Al fracaso en la vida profesional le corresponde en el plano personal el fracaso de las parejas y matrimonios. Muchos se animan al paso del divorcio porque el matrimonio representa un sufrimiento para ellos que los sobreexige. Tienen la sensación de que enferman cada vez más si sostienen el sí frente a la pareja. A veces las mujeres o los hombres experimentan la separación de la pareja como un acto de liberación. Pero a menudo se sienten fracasados. ¿Por qué no duró mi matrimonio? Di lo mejor de mí, quería mantener bajo cualquier circunstancia mi promesa del sí. Me preocupé por la familia. Intenté entender a mi esposa, a mi esposo y ser un buen compañero, una buena compañera.

Tanto las mujeres como los hombres se sienten profundamente heridos cuando su compañero de vida, su compañera de vida los abandona, porque se ha enamorado de otra mujer o ella de otro hombre. A esta herida se suma también en los cónyuges la lucha por los hijos. Los hijos naturalmente reprochan a sus padres que no puedan vivir juntos y ofrecerles un hogar seguro. O los padres pelean por los hijos. Cada cual los coloca de su lado en su lucha contra el otro y trata de tirarlos hacia sí.

Una mujer me contó que a pesar de todo continúa amando a su esposo. Tanto más profunda era la herida cuando lo veía con su nueva pareja. Ella no podía superar haber hecho todo por este hombre y que él la hubiera dejado sola. Él había hecho como si los veinte años de matrimonio no hubieran significado nada, como si el amor hubiera sido sólo superficial. Eso duele.

Al sufrimiento personal se suman con frecuencia las dificultades económicas, ya que con cada divorcio empeoran las situaciones financieras. El margen de acción para estructurar la propia vida se estrecha. Las madres que en la mayoría de los casos deben educar solas a sus hijos después del divorcio, casi no encuentran tiempo para sí mismas. Deben dedicar las 24 horas del día a sus hijos, generalmente todavía pequeños.

Un hombre me contó que ya no puede dormir porque su compañera le había dicho que lo abandonaría. Ya no funcionaba más. Ya no podía soportarlo. Él se preguntaba qué había hecho mal y aseguraba que estaba dispuesto a cambiar, a adaptarse a los deseos de la mujer. Pero ella ya no le dio oportunidad alguna. Él ya no podía dormir, daba vueltas durante toda la noche en la cama cavilando, pensando en el suicidio. El hombre sencillamente no podía soportar que todo por lo que había luchado y por lo cual se había comprometido, de pronto no tuviera validez. Sentía que le movían el suelo bajo los pies; ya no tenía un suelo donde estar de pie.

Muchas mujeres pueden contar historias similares: Una mujer, por ejemplo, tenía la sensación de que durante años había sido lo suficientemente buena como para hacer todo para el esposo y para liberarlo de los problemas desagradables para que pudiera continuar ascendiendo en su carrera. En el último tiempo, él se volcó a otra mujer que parecía darle todo aquello que a él le había faltado con su esposa. Esto significó para ella una herida profunda. La mujer estaba desesperada. Se sentía usada como una señora de la limpieza. En realidad, él no quería separarse de ella salvo por lo sexual, quería que ella continuara lavando su ropa.

Un sufrimiento como el de los casos descriptos, que afecta en muchas relaciones a uno de los integrantes, no puede aducirse simplemente a la propia culpa. Y tampoco sirve decir que el tiempo curará las heridas. Naturalmente, tampoco Dios ha enviado este sufrimiento. Surgió entre dos personas y por cierto, cada uno tiene su cuota de participación. No obstante, duele y con frecuencia desespera a los involucrados. La desesperación no puede eliminarse con la oración, es necesario enfrentarla. Sólo entonces podrá transformarse lentamente.

Para mí existen cinco pasos útiles para enfrentar la herida que los hombres experimentan ante el fracaso de su relación. El primer paso consiste en admitir el dolor. No tiene sentido disimular el dolor con una actividad excesiva. Siempre volverá a aparecer. Pero tampoco se trata de escarbar continuamente dentro de la herida. Es mejor admitir el dolor y mirarlo de frente.

El segundo paso es la ira: Sólo a través de la ira tomo distancia de lo que me ha lastimado. Lo saco de mi persona, y transformo la ira en la fuerza necesaria para construir mi propia vida. No le doy el gusto al otro y no paso los años siguientes con la cabeza caída llorando por la felicidad pasada. En ese caso la otra persona continuaría teniendo poder sobre mí y seguiría lastimándome constantemente. Me distancio y construyo mi propia vida. Le muestro que también puedo vivir sin él, que tengo muchas aptitudes que deseo desarrollar.

El tercer paso es observar objetivamente lo sucedido, sin valorarlo o juzgarlo. Se trata simplemente de comprender qué salió mal. ¿A qué no le presté la correcta atención cuando me decidí por esta pareja? ¿No quise admitir mis dudas? ¿Supuse que podría "sanarlo o sanarla con amor"? ¿Qué sucedió en estos años en que nos hemos alejado o en que mi pareja se separó de mí ante el primer enamoramiento? Trato de comprenderme a mí mismo y a mi historia. Sólo puedo desenvolverme bien en mi vida si también la entiendo. No obstante, entender significa al mismo tiempo dejar de lado todo juicio. Simplemente miro lo que sucedió para comprender qué proyecciones, qué complicaciones, qué mecanismos obraron en cada caso.

El cuarto paso debería ser perdonar a aquel que me lastimó. Esto significa que dejo su culpa en él y elimino la herida. Dejo de escarbar en la herida y me libero interiormente de él. Le deseo que viva su vida. Yo viviré mi propia vida. Perdonar es un acto por el cual uno se libera del otro. El otro deja de determinarme. Si no puedo perdonar seguiré atado al otro y permitiré que continúe determinándome. Le doy poder sobre mí. En el perdón me ubico sobre mis propios pies y dejo la herida en el otro. Por eso, el perdón me hace bien, en primer término, a mí mismo, porque me libera de la energía negativa de la amargura y me libera de las ofensas del otro. Es el requisito para dedicarme nuevamente a mi persona y a mi propia vida, y para poder conformarla y vivirla con renovada energía.

El quinto paso consiste en transformar las heridas sufridas. Me pregunto qué desea crecer en mí a través de esta experiencia dolorosa. También reflexiono sobre qué aporta o cómo podría servir mi herida tanto a mí mismo como a las personas que me rodean. Si sólo considerara los cuatro primeros pasos siempre tendría la sensación de estar frustrado. Recién el quinto paso me da la sensación de agradecimiento por mi vida. Mi vida es provechosa de una nueva manera. Aquello que me ha lastimado, ahora me fortalece y me muestra mi sendero de vida más propio y personal.

Sufrimiento provocado por uno mismo

A veces recibo cartas de personas que se quejan de su situación en la vida y tengo la sensación de que ellas mismas se provocan su sufrimiento. Naturalmente, soy cuidadoso antes de decir algo así. No me corresponde juzgar a las personas. Y yo no sé cómo les va realmente a ellas. Pero al leer las cartas aparecen en mí sentimientos que no debo dejar de lado ya que son reales. Y muchas veces estos sentimientos son justos. No obstante, como acompañante nunca puedo interpretar un sentimiento de esta naturaleza de manera absoluta. Sólo me impulsa a observar con más atención para reconocer si hay algo de cierto.

Tal el caso de una mujer endeudada que vino a mí. Ella había podido saldar fácilmente las deudas si hubiera vendido un par de parcelas de sus tierras. Pero ella temía lo que la gente pudiera pensar si ella vendiera algo de los bienes familiares. Entonces prefirió rezar a Dios para que le ayudara y le quitara las deudas. Naturalmente, Dios no le dio el gusto. Una y otra vez caía en depresiones porque nada cambiaba en su situación. Todos los consejos que le di a esta mujer rebotaron en ella. No podía vender nada porque tenía miedo a las habladurías de la gente. En este caso sentí mi límite para ayudar. Vino a mi mente la frase acuñada por Bert Hellinger: "Sufrir es más fácil que asumir la solución."

Algunas personas prefieren sufrir antes que afrontar las vías de solución que se le ofrecen. Se aferran a su concepción de la vida y no están dispuestas a cambiarla, ni tampoco su estrategia de vida cuestionada mediante los desafíos de las circunstancias adversas.

Otra mujer se sentía siempre agredida en su grupo de mujeres. Existían dos posibilidades: Ella podía plantear el problema y de este modo poner en marcha un proceso de reorientación del pensamiento, pero esto implicaba que debería enfrentar ella misma el problema. De esta manera podría surgir una solución. Las otras mujeres probablemente estuvieran en condiciones de reconocer el motivo por el que su comportamiento lastimaba a esa mujer. Y si hay buena voluntad, y yo parto de esa base, modificarían también su comportamiento. La mujer afectada se sentiría así, al menos, más libre. Pero ella tenía miedo de abordar el problema de sus heridas. Ella temía provocar inseguridad en las otras mujeres o incluso lastimarlas. Entonces prefería seguir sufriendo en silencio.

La segunda posibilidad radicaba en abandonar el grupo y buscar uno nuevo. Pero también rechazó esta opción. Enumeró muchas razones por las cuales esto no funcionaría. También aquí tuve la sensación de que la mujer se provocaba a ella misma el sufrimiento. En mi propia reacción de molestia noté que yo no quería ayudar en este caso, dado que la mujer rechazó todas las posibilidades que le ofrecí. No existía, por lo tanto, ninguna forma de cambiar su sufrimiento. Le ofrecí con gusto mi ayuda, pero ésta era limitada.

Algunas personas no quieren dejarse ayudar. Prefieren lamentarse. Cuando tengo esta sensación sólo me queda retroceder como acompañante. La psicología denominó "neuroticismo" a esta forma de provocarse sufrimiento a sí mismo. En los últimos años la psicología volvió a investigar este fenómeno. Se hace referencia aquí a personas que "ante lo más mínimo se sienten ofendidas, escandalizadas, lastimadas, temerosas o deprimidas" (*Psychologie heute* [Psicología hoy], 2/2005). Se sienten continuamente en tensión, inquietas, deprimidas y completamente carentes de valor. "Muchas veces están despiertas durante la noche y cavilan sobre las cosas que podrían salir mal" (íd.). Esta gente tiene la sensación de que los demás la observan y notan sus falencias. Prefieren encerrarse en sí mismas, con frecuencia se sienten controladas por los demás, incluso, a veces, perseguidas. Tienen la sensación de que los otros cuchichean a sus espaldas. "Inseguras de sí mismas como son, hasta el comentario crítico más inofensivo las desequilibra" (íd.). Tales personas padecen con frecuencia enfermedades, tienen pocas defensas y son propensas a infecciones y resfríos. Por las noches cavilan sobre sí mismas, lo cual debilita su sistema inmunológico.

Estas personas están verdaderamente enfermas. Padecen de sí mismas, pero ni siquiera notan cómo se auto-provocan parte del sufrimiento. Naturalmente, a una persona así nunca le podemos decir: "Tú mismo te provocas el sufrimiento." Pero yo lo desafiaría a cuestionar su actitud y su óptica ante la vida. ¿Su vida es realmente tan difícil o sólo se la hace tan difícil? ¿La gente habla verdaderamente de ella o sólo lo imagina? Incluso si hablan de ella, es problema de los otros, no necesita convertirlo en un problema propio. Pero algunos toman estas habladurías inofensivas de los demás con tanta seriedad que se sienten continuamente estresados y sufren enormemente.

Cierta vez vino a mí un padre con su hija y me contó que estaba poseída por el demonio. Por lo general era moderada y religiosa, sólo de tanto en tanto se desencajaba y profería insultos frente a sus padres con frases groseras destinadas a degradar a Dios. Los padres la llevaron a diversos sitios de peregrinación como Lourdes, Fátima y Altötting. Tanto los padres como la hija sufrían esta situación. Pero en la conversación surgió que preferían sufrir juntos antes que cuestionar su visión de la vida. Los padres eran muy autoritarios. Siempre tenían razón. La hija se adaptaba. Pero de tanto en tanto se rebelaba. Y ella utilizaba exactamente el elemento de poder que obligaba a sus padres a arrodillarse. Ella profería insultos contra Dios. Los padres creían que era el demonio quien le inducía tales palabras a su hija. Estaban obstinados en que tenían razón. Y la hija aprovechaba la oportunidad para detentar poder sobre los padres. El sufrimiento en este caso era provocado realmente por uno mismo. Y le dije a la hija: "Es tu decisión si quieres vivir. Si lo quieres debes abandonar el nido cálido de tus padres. O te debes adaptar a sus exigencias. En ese caso siempre continuarás con tus ataques. Naturalmente, esto tiene como ventaja que viajas por toda Europa, pero la cuestión es si realmente te permite avanzar en tu camino." Ignoro si la hija se animó a dar el salto hacia la libertad o prefirió continuar el antiguo juego que era una fuente de sufrimiento para todos los participantes.

No es fácil decidir si un sufrimiento es provocado por uno mismo o no. Y no me corresponde evaluarlo. Las personas sienten su sufrimiento como muy opresivo. Y esto debo tomarlo con seriedad. Soy cuidadoso antes de dar consejos o mostrar posibilidades. Siempre dejo que primero las personas cuenten cómo lo sienten y qué es lo que les causa tanto sufrimiento. Y luego pregunto cómo desean reaccionar frente a este sufrimiento, en qué podría ayudarlas a controlarlo o a hallar soluciones. Cuando luego, durante el diálogo, noto que no desean cambiar nada de su situación, tomo en serio mi propio límite. No quiero juzgar si el sufrimiento es provocado por uno mismo o no. Pero sé que no puedo ni quiero ayudar. Para mí mismo fue un proceso de aprendizaje confesármelo, ya que mi exigencia cristiana me impulsaba a ayudar a todo aquel que pidiera ayuda. Pero siento que confesar mi incapacidad me libera.

Con todo el cuidado al juzgar el sufrimiento de los demás, a veces tengo la sensación de que la gente padece porque se aferra a su concepción de la vida y no está dispuesta a cambiar de actitud. Esta postura es hiriente y ofensiva especialmente para las personas que están afectadas realmente por un sufrimiento profundo que no se funda en una actitud caprichosa. El que no está dispuesto a liberarse prefiere continuar sufriendo. Y esta gente carga a muchas personas con su sufrimiento, ya que deambulan con frecuencia de uno a otro, esperando una mejor solución para sus problemas. Pero esto significa que los demás deben liberarlos del sufrimiento cuando, en realidad, ellos mismos deben encontrar otra actitud frente al sufrimiento y frente a la vida. Entonces su sufrimiento se transformará e incluso se disolverá.

Catástrofes naturales

Las imágenes de catástrofes naturales, que lamentablemente la televisión nos muestra con excesiva frecuencia, a menudo dejan en nosotros la sensación de desamparo, de debilidad, de ira y de dolor. El terremoto en la ciudad de Bam, en Irán, dejó cien mil víctimas. El tsunami del 26 de diciembre de 2004 arrojó a la muerte a casi doscientas mil personas. Desprendimientos de tierras, aludes, terremotos, inundaciones, tornados… espantosas noticias recorren cada año los medios. Y la primera reacción es casi siempre: ¿Quién tiene la culpa? ¿Por qué no alertaron frente a la inundación? ¿Quién pasó algo por alto? ¿No había ningún sistema de alarma preventiva? ¿Las casas que se derrumbaron con el terremoto no estaban construidas lo suficientemente firmes? ¿Los ríos estaban encauzados artificialmente y provocaron inundaciones? ¿Falló el gobierno y no instaló un comité de crisis adecuado? ¿Las autoridades no reaccionaron bien?

Es conveniente hacer todo lo humanamente posible para detener las consecuencias destructivas de las catástrofes naturales y corregir los errores humanos. Pero a menudo parece que la búsqueda del culpable partiera del hecho de que no deberían existir catástrofes, a menos que el hombre siempre pudiera controlarlas. Aquí se manifiesta la opinión de que todo es realizable y de que el hombre tiene un derecho natural a una vida prolongada y segura. Las catástrofes naturales muestran, sin embargo, que no todo es realizable. Y tampoco los sistemas de alarma preventiva pueden evitar los terremotos y las inundaciones, sino que sólo pueden reducir los efectos devastadores. A veces también tengo la impresión de que la búsqueda de los culpables aparta del sufrimiento que la catástrofe ocasionó a muchas personas. Detrás de ello se encuentra el criterio de que el sufrimiento en realidad no debería existir.

Los hombres en los países del sur evidentemente superan mejor el sufrimiento provocado por las catástrofes naturales que los noreuropeos. Ellos saben que no son los amos de la Creación, sino que deben vivir con las inclemencias del clima y la inseguridad de este mundo. Por eso aceptan su sufrimiento y tratan de tolerarlo. En Occidente nos cuesta más dominar el sufrimiento. Siempre creemos que debemos asegurarnos frente a todo. El sufrimiento debemos evitarlo a toda costa. Pero esta postura no ayuda a aceptar y dominar el sufrimiento que nos alcanza. Nos cuesta admitir la propia debilidad. Pero no todo es realizable, no podemos asegurarnos frente a todo. Vivimos en un mundo inseguro. Ésta es la realidad.

Junto a la búsqueda de los culpables, en las catástrofes naturales siempre surgen también las preguntas:

- ¿Dónde estaba Dios en esta catástrofe?
- ¿Dios tiene alguna relación con esta catástrofe?
- ¿Podría haberla evitado?
- ¿Por qué no lo hizo?
- ¿Por qué la inundación alcanzó a todos por igual: a los turistas que querían descansar, a los pobres que no tienen nada, a los cristianos devotos que fueron arrastrados por la marea durante una peregrinación mariana?
- ¿No sirve para nada rezar?
- ¿Dios es injusto? ¿Actúa arbitrariamente?

Es bueno formular tales preguntas. Pero ningún hombre puede dar una respuesta. Sólo podemos soportar el sinsentido de tales catástrofes. Sólo podemos capitular con nuestros intentos de tener todo bajo control. Porque de ninguna manera tenemos este mundo controlado. No somos inmunes a las catástrofes naturales, y la naturaleza no es sólo un hermoso paisaje en el que descansamos, o una fuente en la que podemos reabastecernos. También tiene algo amenazador, inexplicable, poderoso ante lo que no podemos enfrentarnos. La naturaleza no es tan armónica e inocente como solemos imaginarnos. El poeta y moralista cristiano Reinhold Schneider padeció en sus últimos años de vida por el hecho de que no sólo los hombres sino también los animales se relacionan cruelmente. Podemos llegar a entender que las fieras devoren otros animales y establezcan así el equilibrio biológico, pero que los animales con frecuencia se maltraten entre sí invierte totalmente nuestra habitual comprensión romántica de la naturaleza. Reinhold Schneider casi se quebró con ello; no pudo aunar esta experiencia con la imagen del Dios benévolo.

Por esta razón, las catástrofes naturales representan para nosotros una triple interpelación. La primera es en qué medida hemos domesticado la naturaleza que se rebela mediante catástrofes. Nuestra tarea consiste en intentar una conformación de este mundo más acorde a la naturaleza, por ejemplo, dándole suficiente espacio a los ríos para salir de su cauce y no ocupar todo con construcciones.

El segundo punto es verificar nuestra comprensión de la naturaleza y de la Creación. ¿Qué es la naturaleza? ¿Cómo se comporta? Aquí se trata esencialmente del hecho de respetar el poder de las fuerzas de la naturaleza, el poder del trueno y del relámpago, de los terremotos, de las erupciones volcánicas y las inundaciones.

La tercera interpelación se refiere a nuestra imagen de Dios. ¿Quién es Dios si no evita tales catástrofes? ¿Cómo entender a Dios que ha hecho una Creación tan amenazadora y peligrosa? Esto significa que debemos despedirnos de imágenes de Dios excesivamente cándidas y "encantadoras". En la misma liturgia cristiana se las propone, a veces, como reacción frente al Dios que castiga que fue mostrado a las generaciones pasadas.

Deberíamos cuidarnos de describir a Dios con nuestros conceptos humanos. A pesar de todos los intentos por comprender a Dios, debemos confesar que Dios es totalmente distinto y que no se rige de acuerdo con nuestra teología, sino que es y actúa de acuerdo con su esencia. La incomprensibilidad del sufrimiento provocado por las catástrofes naturales nos invita a entregarnos cada vez más al Dios incomprensible. No nos queda otra cosa que entregarnos al Dios totalmente distinto y reconocer que Dios no tiene que justificarse frente a ninguna instancia humana.

Conclusiones

Dios es justo. Así lo dice la Biblia. "Él ama la justicia y el derecho, y la tierra está llena de su gracia", canta el salmista (Salmo 33, 5). Y en otro salmo dice: "Verdad y justicia son obra de sus manos, todos sus decretos son seguros" (Salmo 111, 7).

¿Cómo podemos y nos permitimos hablar entonces de la injusticia de Dios? Dios es justo. Debemos aferrarnos a ello. Pero muchas veces lo percibimos injusto y no nos sentimos tratados correctamente por Él. No debemos reprimir este sentimiento o desvalorizarlo mediante reflexiones teológicas. Únicamente si no pasamos por alto la experiencia del Dios injusto podremos avanzar hacia una nueva imagen de Dios. De este Dios podemos continuar cantando con el salmista que es justo. Pero le hemos exigido nuestro punto de vista. Le hemos gritado nuestra queja; que nos hemos sentido tratados injustamente, que no entendemos el sufrimiento que nos exige. Nos animamos a preguntarle qué hicimos para merecer que Él permitiera tal injusticia en nosotros. Al formular la pregunta, al acusar a Dios, al presentarle nuestros reproches podrá transformarse nuestra imagen de Dios. Así podremos descubrir que nuestra óptica tampoco es absolutamente correcta, que hemos observado todo sólo desde nuestro punto de vista.

La Biblia nos invita a reprocharle a Dios su injusticia y a discutir con Él. El profeta Jeremías, por ejemplo, una y otra vez discute con Dios. Le dice a Dios: "Señor, tú tienes siempre la razón cuando yo hablo contigo, y, sin embargo, hay un punto que quiero discutir" (Jer 12, 1). Y luego le reprocha su propia necesidad. Él se había esforzado en proclamar la palabra de Dios a los hombres. Pero se siente usado por Dios: "Me has seducido, oh Señor, y me dejé seducir por ti. Me tomaste a la fuerza y saliste ganando" (Jer 20, 7). Dios deja que Jeremías se lamente y lo acuse. No le hace ningún reproche. Pero tampoco se disculpa frente a él por no haberlo protegido ante a este destino. En cambio le responde muy sensatamente: "Si te cansa correr con los de a pie, ¿cómo competirás con los de a caballo?" (Jer 12, 5). Esta respuesta de Dios puede enfadarnos, pero Dios renuncia a explicarle exactamente a Jeremías por qué todo ha sucedido así. Simplemente le exige aceptarlo. Dios denomina a la experiencia del sufrimiento "una carrera con los caballos". Jeremías debe madurar y ser más fuerte a través del sufrimiento. Él nunca lo entenderá. Pero si lo acepta, proclamará la palabra de Dios de un modo nuevo y con renovada energía.

Esta solución de Dios quizá nos parezca insatisfactoria a nosotros, los hombres modernos. No nos da respuesta alguna, sino que nos desafía. Tampoco este libro puede ofrecer otra solución que la de Dios. Pero quizás, querido lector, hayas encontrado en los numerosos pensamientos y reflexiones que recopilé para este libro, una pequeña referencia, un aspecto o impulso para ti que te ayude a aceptar tu sufrimiento y a continuar viviendo. No puedo explicar por qué nos alcanza el sufrimiento. No puedo explicar por qué Dios me exige el sufrimiento. Sólo puedo tomarlo como desafío, emprender la carrera con los caballos, para hallar mi verdadera esencia pasando a través del sufrimiento y capitular frente al Dios incomprensible. Dios no me dará ninguna respuesta a mis preguntas, pero me invita a echarle en cara todos los reproches y preguntas que emergen en mí durante la experiencia de sufrimiento.

A través de las preguntas y acusaciones, durante la lucha y la tristeza —así nos lo promete la Biblia— crecerá en mí una nueva imagen de mí mismo, una nueva comprensión de la vida humana y de la naturaleza, y una nueva percepción del Dios totalmente distinto. Más no nos ofrece Dios. Pero esto es suficiente. Esto es suficiente desafío para mantenernos en el camino y penetrar cada vez más profundamente en el misterio —en última instancia inexplicable— del hombre y en el misterio insondable de Dios.

Bibliografía

Brantschen, Johannes B.: *Warum lässt der gute Gott uns leiden?* ("¿Por qué el buen Dios nos deja sufrir?"), Friburgo, 1986.

Butollo, Willi: **"**Zum Stellenwert der Logotherapie innerhalb der Psychologie" ("Sobre el valor de la logoterapia dentro de la psicología"), en: *Zur Debatte. Themen der Katholischen Akademie in Bayern* ("Para el debate: Temas de la Academia Católica en Baviera"), Múnich, 2/2005, pág. 4-6.

Chardin, Teilhard de: *Der göttliche Bereich*, Friburgo, 1964. En español: *El medio divino*, Alianza, 2000.

Frankl, Viktor E.: *Der Mensch vor der Frage nach dem Sinn*, Múnich, 1979. En español: *El hombre en busca de sentido*, Herder, Barcelona, 2004.

Grässer, Erich: *An die Hebräer* ("A los Hebreos"), EKK XVII/1, Zúrich, 1990.

Greshake, Gisbert: *Der Preis der Liebe. Besinnung über das Leid* ("El precio del amor. Sentido del sufrimiento"), Friburgo, 1978.

Grün, Anselm: *Tu dir doch nicht selber weh*, Maguncia, 1997. En español: *No te hagas daño a ti mismo*, Salamanca, Sígueme, 2002.

Haas, Alois Maria: *Gottleiden-Gottlieben. Zur volkssprachlichen Mystik im Mittelalter* ("Padecer a Dios-Amar a Dios. Sobre la mística popular en la Edad Media"), Fráncfort, 1989.

Hell, Daniel: *Aufschwung für die Seele. Wege innerer Befreiung* ("Impulso para el alma. Caminos de liberación interior"), Friburgo, 2005.

Hinricher, Gemma: *Kreuzesmystik* ("La mística de la cruz"), en: LexSpir, pág. 735-740.

Jung, Carl. G.: *Gesammelte Werke* ("Obras completas"), Tomo 16, Zúrich, 1958.

Jung, Carl. G.: *Briefe I* ("Cartas I"), Olten, 1972.

Jung, Carl G.: *Briefe III* ("Cartas III"), Olten, 1973.

Metz, Johann Baptist: *Gottespassion. Zur Ordensexistenz heute* ("La pasión de Dios. Sobre la existencia de la Orden en la actualidad"), Friburgo, 1991.

Metz, Johann Baptist: "Plädoyer für mehr Theodizee-Empfindlichkeit in der Theologie" ("Alegato para una mayor sensación de teodicea en la teología"), en: Oelmüller, Willi: *Worüber man nicht schweigen kann* ("Sobre lo que no podemos hacer silencio"), *Neue Diskussionen zur Theodizeefrage* ("Nuevas discusiones sobre la cuestión de la teodicea"), Múnich, 1992, pág. 107-160.

Rahner, Karl: "Warum lässt Gott uns leiden?" ("¿Por qué Dios permite nuestro sufrimiento?"), en: *Schriften zur Theologie 14*, Einsiedeln, 1980, pág. 450-466. En español: *Escritos de teología*, Madrid, Cristiandad, 2002.

Ratzinger, Joseph/Benedicto XVI: *Werte in Zeiten des Umbruchs. Die Herausforderungen der Zukunft bestehen* ("Los valores en tiempos de cambio. Soportar los desafíos del futuro"), Friburgo, 2005.

Rohr, Richard: *Hoffnung und Achtsamkeit. Spirituell leben heute* ("Esperanza y cuidado. Vivir espiritualmente hoy"), Friburgo, 2005.

Saum-Aldehoff, Thomas: "Talent zum Unglücklichsein" ("Talento para ser infeliz"), en: *Psychologie heute*, 2/2005, pág. 46-50.

Anselm Grün en Editorial Bonum

Sueños

Espiritualidad y administración del tiempo

Espiritualidad

Armonía interior

Fuentes de fuerza interior

¿Por qué a mí?

El misterio del tiempo

El pequeño libro de la vida

Pensamientos sanadores

¡No olvides lo mejor!

Desafíos para vivir mejor

Cada día tiene su bendición

Administra tus miedos

La verdadera felicidad

Límites sanadores

Bonum

50 años

1960-2010

Tel./Fax: (5411) 4554-1414
ventas@editorialbonum.com
www.editorialbonum.com.ar

Esta edición se terminó de imprimir
en octubre de 2009 en Gráfica Laf s.r.l.
Monteagudo 741 (B1672AFO) - Provincia de Buenos Aires